# HORSE
# RACING
# WORD SEARCH

# HOW TO PLAY

You have to find the words hidden inside the grid, the words may be found:

Horizontally: ← →

Vertically: ↓ ↑

Diagonally: ↙ ↗ ↘ ↖

The words can share letters.

You can find the solution of each puzzle in the back of the book.

Puzzle #1

# HORSE RACING WORDSEARCH

```
P  L  S  H  F  S  G  L  H  B  B  O  X  S  A
F  P  H  Y  V  K  D  I  S  Z  U  B  I  P  N
R  E  T  S  R  O  F  U  S  U  U  A  X  S  I
E  R  A  H  G  R  M  O  O  N  N  H  S  V  J
S  M  P  A  R  T  H  I  A  L  O  T  X  V  I
T  R  A  E  P  L  Y  C  L  Z  C  M  Y  G  N
A  Y  E  L  R  E  V  E  B  L  R  Y  I  I  S
T  R  Y  K  B  J  Q  P  V  S  E  K  N  S  K
E  H  N  Z  N  K  D  X  S  E  O  N  Q  A  Y
O  D  O  N  C  A  S  T  E  R  L  S  A  S  M
F  K  J  L  A  W  B  S  I  R  I  V  O  R  T
P  S  V  Q  D  J  B  T  E  K  N  F  V  A  Y
L  R  O  Y  A  L  A  T  H  E  L  E  T  E  H
A  P  N  M  H  G  W  L  A  C  X  I  G  K  D
Y  K  H  Z  D  T  V  J  F  O  O  R  H  U  L
```

BANKER  
BEVERLEY  
BLAME  
DONCASTER  
FORSTER  

LEVEY  
MANYCLOUDS  
MILLENARY  
NIJINSKY  
PARTHIA  

ROYALATHELETE  
SIMONSIG  
SIRIVOR  
STATEOFPLAY

# HORSE RACING WORDSEARCH

```
E  R  A  I  L  L  I  N  K  M  B  Z  P  S  N
R  Y  O  S  X  I  U  N  T  T  H  G  H  J  B
Y  N  A  C  Q  G  J  P  V  X  T  P  J  P  C
M  Z  M  E  G  H  D  L  E  I  F  O  H  C  S
N  Y  X  E  H  T  K  M  W  E  F  M  Z  Z  H
Y  H  W  I  W  S  K  F  W  K  A  T  J  Q  P
K  J  B  Q  E  H  O  S  I  Y  K  T  A  R  L
E  D  Y  V  Q  I  N  F  A  S  M  Y  D  X  U
E  K  O  B  S  F  D  B  A  I  H  C  F  V  M
R  E  H  P  O  T  S  I  R  H  C  E  B  X  P
Q  S  N  G  I  N  E  V  R  A  M  C  R  W  T
K  C  I  R  T  A  P  N  W  O  D  I  S  T  O
H  W  K  B  E  E  F  O  R  S  A  L  M  O  N
T  C  S  E  P  R  O  R  R  S  G  N  E  U  V
S  I  U  Y  N  Y  J  G  B  F  K  R  O  Y  R
```

BEEFORSALMON          FISHER          PLUMPTON
BRADLEY               GINEVRA         RAILLINK
CECIL                 LIGHTSHIFT      SCHOFIELD
CHRISTOPHER           LUPE            YORK
DOWNPATRICK           OSHEA

# HORSE RACING WORDSEARCH

```
X  N  S  U  A  J  S  U  B  O  T  I  C  A  T
I  T  J  E  J  S  V  N  Q  W  Q  C  W  H  H
U  A  Z  Y  L  C  T  P  O  H  S  I  B  G  E
D  Z  R  K  L  I  V  A  W  T  X  F  R  F  P
I  N  V  S  H  Y  N  P  A  E  R  D  H  Y  I
W  G  E  I  U  X  D  E  C  U  R  T  I  S  L
F  V  E  B  F  M  V  N  V  I  C  O  X  T  G
G  R  J  O  O  K  A  R  A  U  Q  A  O  L  A
Q  U  I  C  V  T  A  N  O  D  J  K  O  M  R
A  X  A  M  I  I  E  M  N  X  O  U  N  S  L
H  W  X  J  E  N  V  S  E  I  H  L  Q  E  I
G  J  A  K  P  L  O  G  U  V  N  V  L  E  C
E  L  R  S  H  O  L  F  E  F  W  G  I  A  F
N  B  L  H  U  E  D  Q  A  B  E  H  P  I  H
C  A  M  I  C  I  P  H  O  Z  E  R  G  K  G
```

| | | |
|---|---|---|
| BISHOP | JUVENILE | RIMELL |
| CAMICI | MAKFI | SUBOTICA |
| CURTIS | MANNING | THEPILGARLIC |
| HALLODANDY | MOORE | ZAFONIC |
| JOHN | REFUSETOBEND | |

# HORSE RACING WORDSEARCH

```
C  R  I  E  V  Y  L  S  B  C  C  D  M  Q  E
B  V  R  V  M  U  V  E  S  K  E  Q  A  V  N
A  I  Y  I  S  W  J  N  L  A  T  Z  H  E  E
R  J  N  T  H  G  I  N  K  O  B  Z  P  U  V
H  B  E  O  V  R  G  Y  M  E  R  A  P  R  E
W  D  R  E  C  X  L  I  X  Q  E  T  E  Z  R
K  B  B  S  D  U  U  M  R  J  N  N  F  S  S
B  U  D  M  C  S  L  G  C  B  D  R  C  H  A
V  Y  U  R  K  Y  Z  A  A  I  A  A  K  A  Y
O  I  I  M  I  I  N  L  R  C  G  L  M  M  D
E  K  O  S  M  B  F  I  S  L  J  E  L  D  I
Y  Q  E  U  I  A  A  L  O  G  Y  Q  L  A  E
N  C  F  M  K  Z  I  E  N  P  P  N  L  N  B
P  Z  R  O  A  T  H  O  S  H  R  J  T  S  M
H  K  D  D  G  K  G  E  T  Y  X  X  J  W  I
```

| | | |
|---|---|---|
| BALLABRIGGS | GALILEO | OATH |
| BINOCULAR | HAMDAN | SEABASS |
| BRENDA | KAMEKO | SEABIRD |
| CARSON | KNIGHT | |
| DAM | NEVERSAYDIE | |

Puzzle #5

# HORSE RACING WORDSEARCH

```
K  V  R  U  U  N  T  J  N  M  A  Y  K  P  E
M  D  M  Y  S  T  E  R  I  O  U  S  P  N  M
F  J  O  L  Y  A  G  P  E  L  C  Z  N  S  P
E  L  M  C  H  Q  I  E  T  V  C  A  I  T  U
T  I  G  E  R  R  O  L  L  E  N  C  J  Z  S
W  X  G  Z  E  U  G  I  R  D  O  R  C  M  V
K  T  G  I  N  B  U  P  A  O  I  I  I  K  W
E  K  L  D  I  R  Q  M  W  C  T  N  B  K  Q
Y  E  W  Z  Y  N  A  H  G  O  R  A  G  I  I
U  D  M  U  S  C  U  T  T  Y  H  E  Z  A  A
A  B  D  D  M  A  E  R  D  E  N  A  D  W  W
P  P  F  A  T  S  A  L  B  C  I  N  E  C  S
W  C  Q  U  P  S  C  F  U  X  T  K  M  E  J
O  I  T  L  Y  T  I  M  I  L  B  U  S  G  M
Y  O  Y  T  K  J  S  U  I  X  M  F  D  X  G
```

BRUNI

DANEDREAM

GAROGHAN

GELDING

MOLVEDO

MUSCUTT

MYSTERIOUS

RODRIGUEZ

SCENICBLAST

STPADDY

SUBLIMITY

TIGERROLL

# HORSE RACING WORDSEARCH

```
G  T  Q  H  S  J  V  V  N  O  T  H  S  A  T
Z  H  A  Q  Z  J  W  Y  B  N  S  B  J  G  D
N  Q  I  G  S  O  Y  O  U  T  H  I  N  K  I
F  I  U  A  N  X  M  S  I  M  G  U  Q  C  J
B  A  L  L  N  I  G  W  Z  P  L  R  F  U  O
U  D  N  R  E  I  D  R  O  Y  L  P  M  O  C
Y  T  O  N  U  P  S  N  M  F  J  E  S  B  J
M  E  R  N  I  C  Q  I  I  A  Y  F  Z  I  U
Y  O  L  E  T  N  A  C  I  M  J  D  B  A  N
G  I  N  U  F  P  G  R  A  T  T  I  R  G  Z
M  A  C  M  Z  F  U  T  N  G  F  Z  Y  P  U
K  D  W  N  O  O  A  S  H  E  R  D  M  A  N
P  B  D  Z  Y  M  D  B  H  Q  G  H  Q  W  H
W  U  A  T  F  W  E  G  L  I  N  I  M  A  J
I  H  K  U  G  W  K  B  Y  H  T  O  E  M  S
```

| | | |
|---|---|---|
| ASHTON | CURLIN | JAMIN |
| BAFFERT | DONTPUSHIT | MINDING |
| CANTELO | FANNING | MONMOME |
| CARNEGIE | GHIANI | SOYOUTHINK |
| COMPLYORDIE | GRITTAR | |

# HORSE RACING WORDSEARCH

```
Y  H  H  C  R  I  B  R  E  V  L  I  S  S  U
Z  B  N  C  Y  T  I  D  I  P  E  R  T  N  I
L  Q  W  U  T  S  H  E  H  U  D  N  R  R  X
D  C  A  O  R  I  N  Y  E  V  P  X  I  K  L
L  J  L  R  L  S  D  B  G  W  D  Z  N  H  U
P  Y  O  I  B  D  A  N  R  K  K  M  J  J  B
J  W  L  U  F  A  U  T  E  V  V  Y  U  Z  S
H  B  X  F  L  T  T  L  R  P  G  W  I  V  F
I  K  E  L  T  Q  O  S  B  E  O  I  K  J  J
G  A  E  E  R  A  D  N  I  B  B  L  L  A  X
Y  H  O  N  C  T  O  J  N  R  N  L  H  X  C
E  A  Y  M  A  H  X  E  H  Z  T  S  A  P  L
X  E  R  E  C  N  A  D  E  V  A  U  S  K  N
G  A  K  D  Z  O  M  K  N  M  F  W  T  J  U
W  P  P  X  Y  I  G  W  W  R  I  A  A  L  K
```

ALBERTASRUN

BEECH

BINDAREE

CLIFTON

HEXHAM

INTREPIDITY

ISTABRAQ

LUDLOW

MYWILL

OPEN DITCH

SILVERBIRCH

SUAVEDANCER

YARD

# HORSE RACING WORDSEARCH

```
H  N  T  A  Q  U  I  N  D  U  S  E  U  I  L
X  L  A  L  E  X  A  N  D  R  O  V  A  V  H
G  I  O  V  A  N  N  I  E  N  Z  Z  G  C  P
A  N  R  F  T  F  P  Q  L  Z  N  T  T  L  B
L  G  E  E  H  A  G  D  S  A  T  U  Y  S  C
K  F  E  P  K  Y  T  F  A  M  R  A  F  T  K
P  I  O  L  S  A  M  A  E  G  H  T  C  I  J
V  E  D  V  V  B  M  Q  N  Z  X  A  S  S  K
P  L  K  N  X  A  J  E  G  I  X  P  F  U  G
M  D  P  R  A  W  H  R  C  Q  A  O  P  W  A
D  C  R  E  A  U  D  I  U  A  I  N  E  Z  C
L  Y  U  A  T  T  Q  P  D  E  P  W  O  J  M
Z  U  B  D  S  O  S  R  Q  B  M  O  D  V  M
U  A  E  B  S  A  R  U  A  L  V  O  Z  E  W
K  D  Q  E  I  N  M  S  Q  M  V  D  X  I  F
```

| | | |
|---|---|---|
| ALEXANDROVA | LINGFIELD | TAPONWOOD |
| ATZENI | MARQUAND | TAQUINDUSEUIL |
| AUSTRALIA | MASAR | TATANIANO |
| GIOVANNI | PACEMAKER | |
| LAURASBEAU | STARKE | |

# HORSE RACING WORDSEARCH

```
H  T  V  N  S  F  A  Z  L  E  O  L  D  L  C
B  X  Q  F  Z  D  B  E  O  T  R  U  H  W  E
N  G  G  S  M  A  R  K  E  T  R  A  S  E  N
R  O  U  E  Y  R  W  H  P  L  X  W  N  K  E
B  D  N  E  N  I  G  A  M  I  Z  S  I  D  B
E  R  R  R  J  I  I  B  H  W  R  L  A  T  B
D  E  A  F  U  U  H  Z  H  S  P  B  I  T  I
X  A  R  V  F  N  L  C  A  W  U  M  E  C  O
L  M  B  G  E  O  N  R  N  B  T  O  Q  J  L
U  H  Y  E  Y  I  K  E  X  A  A  Z  L  O  O
F  V  K  A  E  E  N  I  R  S  L  R  L  D  R
Y  S  G  H  Q  I  N  C  T  S  M  A  A  V  O
E  Q  C  Q  Y  B  E  O  A  L  A  E  B  O  N
R  Z  M  M  R  F  C  G  C  W  O  H  Q  Z  D
W  Y  L  D  N  E  I  R  F  R  E  S  U  T  C
```

BALANCHINE
BASS
BRAVEINCA
CONEYGREE
IMAGINE

MARKET RASEN
NEBBIOLO
NON RUNNER
SHAW
SOLTIKOFF

TALMA
USERFRIENDLY
ZABARA

# HORSE RACING WORDSEARCH

```
O  E  T  E  L  H  T  A  L  A  Y  O  R  A  P
M  Z  T  S  M  D  O  N  I  Z  V  L  M  C  N
V  Q  U  U  L  F  I  I  V  N  Y  C  L  O  D
S  C  D  U  L  K  Q  P  V  A  Q  Y  T  H  H
N  B  A  A  A  T  C  O  Y  Q  P  L  D  O  N
E  O  R  T  P  F  H  I  M  E  G  A  V  V  O
V  R  S  E  T  T  V  G  T  P  Z  D  Z  U  G
U  V  E  R  A  E  O  P  I  S  A  Y  H  A  K
O  A  I  H  E  S  R  O  U  N  G  U  Y  N  B
X  B  R  J  K  D  L  I  F  D  D  N  E  E  G
K  P  I  O  Q  O  N  E  C  U  E  I  I  E  C
G  O  K  M  D  M  O  A  Y  K  T  L  M  O  U
R  S  A  Q  F  W  O  L  S  B  C  O  L  V  G
A  N  O  L  A  Z  R  A  B  D  F  M  H  U  B
T  B  P  F  Y  G  R  E  A  T  R  E  X  G  P
```

| | | |
|---|---|---|
| BARZALONA | GREATREX | PULLED UP |
| BREASLEY | KAHYASI | ROYALATHLETE |
| CATTERICK | LADY | SANDERSON |
| FOOTPAD | LOOKHERE | ZINO |
| GOINGSTICK | MIDNIGHTLUTE | |

# HORSE RACING WORDSEARCH

```
U  P  N  O  I  L  L  A  T  S  Z  F  Z  Y  T
N  Y  I  R  S  M  C  L  J  K  T  X  J  N  Z
D  N  X  E  D  R  A  C  E  C  A  R  N  H  S
E  G  O  H  C  O  S  R  N  H  T  H  E  E  I
S  S  K  H  A  N  S  G  S  W  S  G  W  K  V
C  M  D  Y  R  W  I  P  L  H  W  N  B  S  N
E  I  O  R  L  G  Q  R  N  I  T  O  O  A  J
A  T  W  R  I  B  I  O  P  P  V  A  X  O  E
U  H  N  U  S  L  Y  R  R  C  V  L  B  F  M
X  I  N  Q  L  T  P  C  O  A  I  X  U  X  M
F  E  S  A  E  Q  O  L  M  Z  I  T  P  R  I
C  S  D  N  J  Y  J  N  A  O  T  C  C  S  E
V  G  B  L  A  C  K  C  A  V  I  A  R  R  Z
V  Q  S  Y  A  M  B  P  X  D  K  A  T  A  A
N  J  R  I  E  L  R  Y  Y  B  S  O  U  I  G
```

| | | |
|---|---|---|
| ARCTICPRINCE | GARCIA | SMITHIES |
| ATZORI | MARSH | STALLION |
| BATH | MOONSHELL | UNDESCEAUX |
| BLACKCAVIAR | MORSTON | WHIP |
| CARLISLE | RACECARD | |

# HORSE RACING WORDSEARCH

```
C  P  H  X  Q  R  T  S  T  C  Z  G  S  N  U
V  D  K  A  Y  T  E  R  R  E  K  N  J  W  B
R  K  N  I  R  P  S  T  A  E  W  L  H  S  Z
S  A  M  U  D  D  I  E  N  H  M  O  X  B  H
G  W  D  O  O  N  R  H  B  I  W  M  V  R  W
M  A  E  N  O  B  A  I  S  S  W  O  A  L  W
K  P  R  E  I  R  D  L  D  D  G  Z  R  T  B
R  W  T  E  T  P  C  R  S  D  L  N  H  A  S
F  S  M  M  T  S  U  R  A  E  E  O  I  N  R
J  B  B  T  E  S  O  D  O  W  R  N  G  K  L
G  W  H  L  L  O  E  L  E  F  E  P  N  I  Q
X  K  K  K  P  P  K  C  E  K  T  M  Y  Q  D
C  R  E  J  H  N  C  C  W  R  C  B  O  U  Q
C  B  U  T  B  R  A  E  B  O  A  A  O  H  Y
N  E  V  E  R  T  O  O  L  A  T  E  H  Y  C
```

| | | |
|---|---|---|
| GOLDSHIP | KINGSBEST | STAMMERS |
| HACKED UP | MOORCROFTBOY | SWEETSOLERA |
| HARDRIDDEN | NEVERTOOLATE | TOWCESTER |
| HART | PINDAR | WINTER |
| HOMEWARDBOUND | PRESLAND | |

# HORSE RACING WORDSEARCH

```
R  I  P  K  J  D  X  D  K  M  L  Q  I  H  B
C  V  S  B  S  S  K  D  I  Y  M  P  U  R  K
C  T  N  I  A  P  E  S  A  E  R  G  O  I  E
Y  X  L  B  V  Z  J  V  U  G  R  G  Y  M  R
D  E  O  R  P  E  A  W  M  E  G  J  R  M  W
G  G  N  I  R  G  N  I  T  T  E  B  I  D  P
B  W  G  A  W  V  A  N  G  R  G  X  Y  C  Z
C  G  R  I  A  P  P  S  E  I  O  Z  Y  U  V
A  S  U  G  A  R  U  A  F  B  L  C  K  T  T
P  M  N  I  Y  C  R  E  P  R  I  S  F  U  J
B  U  T  Y  O  B  N  O  T  G  N  I  D  D  A
R  L  V  N  P  U  A  T  M  X  A  F  S  H  V
R  L  D  A  L  E  N  O  T  S  E  M  I  L  N
J  E  F  T  M  Q  D  Y  B  X  Q  O  V  B  D
F  N  P  E  C  N  A  W  O  L  L  A  F  C  O
```

ADDINGTONBOY       GREASEPAINT       SIRPERCY
ALLOWANCE          LIMESTONELAD      SMULLEN
ANAPURNA           LONGRUN
BENNEVIS           RAGUSA
BETTING RING       REID

# HORSE RACING WORDSEARCH

```
T  H  E  T  S  A  R  E  V  I  C  H  E  A  C
Z  L  H  B  M  M  E  P  W  L  M  M  G  U  W
B  W  J  S  N  O  U  S  J  D  Q  T  I  T  O
G  W  K  R  I  S  K  I  N  H  Q  R  K  H  R
T  N  Y  M  T  M  X  P  D  C  U  M  Q  O  K
K  F  O  K  C  R  K  L  T  O  H  U  M  R  F
K  R  S  S  O  M  Y  L  E  M  S  A  Y  I  O
M  H  N  H  M  M  C  F  O  P  K  Y  S  Z  R
W  M  O  Z  G  A  C  G  L  E  V  E  N  E  C
I  F  W  M  L  A  I  C  A  S  B  B  O  D  E
V  S  F  M  H  B  T  L  A  U  L  E  P  L  C
H  S  A  M  R  E  W  R  L  R  G  R  S  D  H
D  H  I  H  F  K  J  X  U  I  T  H  K  P  F
A  S  R  F  K  D  J  M  S  M  W  H  E  I  J
G  Z  Y  U  Y  T  M  R  L  T  J  G  Y  Y  C
```

| | | |
|---|---|---|
| AUTHORIZED | MCGAUGHEY | THETSAREVICH |
| CHASE | MELYMOSS | WILLIAMSON |
| DOBBS | MURTAGH | WORKFORCE |
| KRISKIN | SNOWFAIRY | |
| MCCARTHY | SODIUM | |

Puzzle #15

# HORSE RACING WORDSEARCH

```
E  V  A  R  B  G  N  I  C  N  A  D  C  T  T
Q  V  T  U  H  H  U  R  D  L  E  S  S  R  C
M  P  A  U  Y  A  U  G  V  Q  V  G  P  E  X
Q  M  G  M  C  C  R  N  T  V  R  T  Z  M  D
L  N  H  R  D  O  B  D  T  E  F  S  J  P  T
I  X  R  Y  K  M  I  F  O  I  N  P  J  O  H
S  O  O  O  D  M  M  S  Y  U  N  E  R  L  E
X  Q  O  B  H  A  Y  Y  S  P  T  G  C  I  T
C  Q  D  A  P  N  L  K  D  I  P  L  D  N  H
I  J  A  R  N  C  E  I  O  K  L  E  O  O  I
Y  S  D  T  W  H  J  D  K  S  R  E  M  O  N
B  B  M  O  Z  E  T  A  L  S  O  Z  H  S  K
Z  Y  I  N  Z  R  K  Z  I  O  T  J  W  D  E
D  H  Q  T  V  U  C  U  S  Z  G  E  H  C  R
K  D  L  O  G  N  I  E  H  R  A  A  J  R  H
```

| | | |
|---|---|---|
| BARTON | HELISSIO | TAGHROODA |
| COMMANCHERUN | HUNTINGDON | THETHINKER |
| DANCINGBRAVE | HURDLES | TREMPOLINO |
| GOLDENHORN | JETSKILADY | |
| HARDOUTLOOK | RHEINGOLD | |

# HORSE RACING WORDSEARCH

```
S  M  S  V  Y  G  O  O  Q  G  B  P  W  K  D
M  T  E  R  E  N  I  D  L  O  O  C  X  N  X
Y  S  N  C  O  B  O  I  O  L  Y  Q  N  A  F
W  E  R  F  T  Y  B  T  P  B  I  O  M  B  I
A  A  N  N  Z  O  A  B  H  N  O  M  Y  J  K
Y  J  L  I  E  J  S  L  K  G  K  B  W  T  W
D  T  W  L  V  R  E  B  M  U  I  D  M  E  O
E  I  H  N  E  I  S  S  D  A  H  R  S  A  N
S  R  U  F  X  D  D  O  S  I  I  O  B  D  B
O  O  N  E  M  O  N  E  F  E  F  L  W  X  M
L  L  X  A  S  X  W  A  V  F  L  C  P  L  H
Z  K  W  S  M  M  B  K  M  O  X  B  W  M  A
E  M  E  S  Q  N  R  E  I  H  L  Y  O  N  S
N  A  R  A  R  A  E  B  W  A  R  T  S  N  F
T  K  L  K  R  O  C  D  T  G  I  L  H  B  V
```

| | | |
|---|---|---|
| AMBOBO | LOVEDIVINE | NOBLESSE |
| BRIGHTON | LYONS | ROYALMAIL |
| COOLDINE | MANDELLA | STRAWBEAR |
| DENMAN | MYWAYDESOLZEN | TIROL |
| FENOMENO | NEWMILL | |

# HORSE RACING WORDSEARCH

```
O Y S Y E L I A B R E T S I M
O N B J G N Z Y E M G F A U X
I A N Q N V I R H N V J Z E X
W T R F Z E Y L A I A R F U A
E I E X Y E E U M C F R U Q K
Q V D X A M O H M R E A R P U
V E R N U N A M G V E V L I C
U R U G D X I N K U I F O K K
A I M R P E O G G Q A K N I Q
K V W J P G R S C A Q F G U D
V E F A I R S A L I N I A S D
J R C U C H A R L O T T O W N
U A Y S P H I L F C L D R A G
I P L G H B D B W W E Z M N M
E L A E P P A R A T S D X K O
```

CHARLOTTOWN

DECLARED

DUNFERMLINE

FAIRSALINIA

FAUGHEEN

FURLONG

KIRRANE

MANGAN

MISTERBAILEYS

NATIVERIVER

PHIL

RACEVOID

REDRUM

STARAPPEAL

# HORSE RACING WORDSEARCH

```
G  C  N  L  L  Y  X  E  M  U  I  D  I  S  P
X  C  O  W  E  E  T  R  P  T  W  Q  H  L  H
N  Z  Y  Y  O  B  E  T  G  C  U  U  W  K  N
T  O  E  U  B  D  E  N  I  S  E  B  Q  L  T
H  S  S  P  R  L  T  R  A  R  G  K  T  K  A
R  E  C  W  I  Z  A  H  Y  L  R  Z  O  S  U
E  A  W  L  A  P  S  K  G  E  Y  A  K  Y  M
E  T  G  Z  N  D  M  T  E  U  N  N  G  Z  B
T  H  O  L  B  M  U  C  G  N  O  K  O  T  V
R  E  Y  P  O  I  S  E  M  M  E  R  C  B  K
O  S  P  R  R  C  S  E  G  B  B  Y  B  O  E
I  T  L  H  U  S  E  I  C  B  X  O  Z  H  C
K  A  S  G  E  B  N  V  V  N  P  D  Y  I  B
A  R  P  N  L  H  X  L  D  E  E  D  A  H  S
S  S  V  S  U  Q  T  E  A  D  Y  F  Z  O  B
```

| | | |
|---|---|---|
| ASMUSSEN | EBONYLANE | SEATHESTARS |
| BLAKENEY | EXBURY | SHADEED |
| BRIANBORU | FENCES | THREETROIKAS |
| BROUGHT DOWN | GARRITTY | |
| COCKNEYREBEL | PIPE | |
| DAWSON | PSIDIUM | |

# HORSE RACING WORDSEARCH

```
I  N  M  M  G  S  O  K  W  S  L  S  R  J  L
D  T  R  A  A  V  R  Y  K  G  I  T  P  Z  C
K  K  X  U  O  L  G  E  K  T  H  U  O  L  T
L  V  K  P  T  R  L  B  I  Z  P  U  A  W  H
U  J  Q  C  N  E  I  E  R  L  B  S  R  C  R
S  E  N  T  O  A  R  V  Z  W  L  D  M  S  E
R  H  H  I  N  D  L  S  E  F  Y  I  G  J  E
B  I  E  G  E  E  D  O  B  N  R  E  V  Y  T
E  U  E  P  O  L  L  A  G  O  T  A  R  M  O
P  O  G  Z  H  Z  S  A  P  Z  B  U  N  G  O
A  C  X  P  R  E  D  U  T  Q  E  G  R  C  N
T  Y  K  L  T  K  R  N  N  W  D  S  O  E  E
V  P  M  R  J  U  Y  D  P  I  R  N  C  T  J
N  C  L  E  H  K  E  K  B  W  R  I  P  O  N
U  K  W  Z  M  C  O  I  K  J  H  I  A  A  F
```

ALLEZFRANCE     NIELS     TALENT
BOBSRETURN     PADDOCK     THREETOONE
GALLOP     RINUS     VILLIERS
GOLAN     RIPON
MAORIVENTURE     SHEPHERD

# HORSE RACING WORDSEARCH

```
T  L  D  R  A  O  B  A  J  I  U  O  R  V  I
G  Q  X  J  I  V  A  N  J  I  C  A  V  O  E
K  X  Y  Q  E  M  T  M  E  S  W  V  P  W  M
X  E  E  R  A  C  I  N  G  D  E  M  O  N  H
E  H  R  L  S  E  B  E  R  S  S  N  B  C  Y
Q  G  G  E  D  I  B  X  W  T  K  O  U  W  W
L  R  W  N  D  I  X  O  H  S  P  Q  G  J  I
I  N  I  A  O  U  R  T  B  T  L  F  P  W  L
N  C  C  R  R  L  A  B  I  B  G  L  R  R  R
T  W  C  U  O  W  A  E  E  E  Y  Q  I  H  G
S  M  R  W  M  U  I  L  N  H  S  J  I  S  N
G  J  W  S  W  A  B  C  L  I  T  I  O  V  T
W  L  W  E  S  H  N  L  K  A  P  N  C  U  P
A  C  H  E  E  K  P  I  E  C  E  S  O  O  R
J  Y  Z  V  T  O  O  F  F  O  N  R  U  T  N
```

| | | |
|---|---|---|
| ALLALONG | IVANJICA | ROUBLE |
| BOBBYJO | ON THE BRIDLE | SIXTIESICON |
| CHEEKPIECES | OUIJABOARD | TURN OF FOOT |
| CUMANI | PINEAUDERE | WARWICK |
| GOSDEN | RACINGDEMON | |

# HORSE RACING WORDSEARCH

```
I  Z  G  H  P  J  H  K  P  W  B  W  Z  J  D
P  O  N  T  E  F  R  A  C  T  L  P  K  R  M
H  S  T  M  H  D  X  W  N  L  Z  I  K  A  A
I  V  G  N  F  E  D  G  I  S  Z  U  U  M  S
V  C  B  A  K  E  R  A  Z  D  E  M  J  P  K
C  L  A  N  R  O  Y  A  L  K  F  N  G  R  E
I  A  J  A  L  B  O  U  M  P  H  O  T  O  D
U  S  B  J  M  I  Y  R  C  L  B  B  J  V  M
X  S  G  S  L  M  B  Q  B  C  Q  Z  K  O  A
M  I  O  N  A  F  C  F  D  Y  K  Y  H  K  R
H  C  B  P  I  L  Y  L  Y  O  E  D  K  E  V
G  E  N  E  L  L  Y  G  D  R  O  L  J  Q  E
I  P  E  W  C  L  L  S  Q  M  W  W  H  X  L
C  Z  I  F  P  J  L  U  P  P  R  X  J  S  X
K  V  M  J  P  M  R  L  P  T  S  U  J  D  A
```

| | | |
|---|---|---|
| ALBOUMPHOTO | HANSEN | PONTEFRACT |
| ASHLEYBROOK | LADD | PROVOKE |
| BAKER | LORDGYLLENE | PULLING |
| CLANROYAL | MARE | |
| CLASSIC | MASKEDMARVEL | |

# HORSE RACING WORDSEARCH

```
J  I  N  R  U  N  N  I  N  G  G  O  A  J  J
E  H  G  R  E  T  X  V  P  G  N  M  E  G  E
E  W  H  H  E  V  O  K  K  N  H  I  K  B  B
T  K  D  V  O  G  E  B  I  P  L  T  G  S  C
B  A  O  R  M  S  A  R  S  K  K  C  E  N  G
T  M  H  A  Y  V  T  M  D  G  P  H  X  L  B
J  H  J  X  R  Q  U  Z  E  S  C  E  S  P  M
V  B  G  P  H  Y  D  G  A  I  I  L  Z  W  O
S  E  H  I  L  G  E  R  O  P  L  L  H  W  G
Y  T  K  D  L  D  U  V  O  S  P  L  G  F  K
T  R  S  R  H  H  L  O  L  L  L  E  O  N  U
L  H  N  N  V  V  T  E  X  E  T  E  R  H  I
M  P  L  P  E  Y  Z  R  I  U  K  L  K  B  L
M  P  F  T  M  N  P  W  O  R  W  C  S  I  K
G  O  C  N  K  C  E  W  I  N  K  S  M  B  X
```

| | | |
|---|---|---|
| EXETER | LORD | OLLIEMAGERN |
| GHOSTZAPPER | MCKELVEY | WINKS |
| IN RUNNING | MITCHELL | |
| INGLISDREVER | NECK | |
| KELSO | NORTHLIGHT | |

# HORSE RACING WORDSEARCH

```
Z  R  N  W  Z  T  M  H  Z  M  L  A  E  X  D
J  Z  J  N  E  U  O  R  Y  I  D  U  Y  Z  M
H  L  F  L  S  U  C  M  G  S  H  O  O  U  R
P  N  A  R  L  P  C  B  N  H  N  S  U  G  A
P  D  K  A  O  Y  O  D  M  O  G  H  N  B  T
H  I  R  I  S  S  G  I  F  T  B  E  G  X  W
B  E  N  T  M  Y  I  F  U  G  W  R  D  F  S
Q  L  R  T  V  L  F  V  I  Y  B  G  R  U  N
E  A  N  A  I  D  N  I  Z  C  T  A  I  A  D
E  L  M  N  M  A  F  G  L  B  S  R  V  Z  N
A  C  E  T  I  U  X  B  P  A  T  H  E  W  K
W  I  Q  Y  S  F  R  E  Z  C  U  S  R  Z  V
B  D  A  T  G  A  V  M  V  V  D  Q  W  A  A
W  E  J  A  E  Q  I  C  A  L  F  N  I  O  L
P  M  V  O  N  T  T  S  I  R  O  L  A  V  U
```

| | | |
|---|---|---|
| ALCIDE | IRISSGIFT | VALORIS |
| AZERTYUIOP | QUALIFY | VISOR |
| BONMOT | RAMRUMA | YOUNGDRIVER |
| ELEY | SHERGAR | |
| INDIANA | STUD | |

# HORSE RACING WORDSEARCH

```
E  C  X  Y  N  P  R  A  H  S  O  S  H  O  C
Q  D  L  V  J  F  C  E  D  R  Z  B  I  J  Q
E  E  C  A  T  S  U  E  Y  D  R  A  H  N  J
D  M  C  R  S  N  B  E  S  Y  U  P  X  C  F
E  A  U  R  E  S  I  R  H  G  I  H  S  G  L
C  G  N  L  A  K  I  Y  D  A  T  O  X  Z  A
R  R  M  C  P  R  E  F  V  Y  Z  C  Q  J  N
V  A  M  Z  I  S  D  H  I  D  A  H  B  A  K
O  D  F  Y  P  N  U  F  L  E  T  E  R  R  A
X  E  B  U  T  R  G  C  L  N  D  S  Q  K  N
K  D  X  S  L  Q  I  R  R  W  S  T  M  P  R
J  R  H  Q  D  K  L  E  A  I  J  E  I  P  U
M  A  U  H  A  V  L  I  N  I  C  R  D  D  P
I  C  J  U  A  Y  E  N  U  Z  N  F  D  X  E
C  E  B  P  I  T  T  A  K  E  S  T  I  M  E
```

AKIYDA
CHESTER
CIRCUSPLUME
CLASSIFIED
DANCINGRAIN

GILLET
GRADED RACE
HARDYEUSTACE
HAVLIN
HIGHRISE

ITTAKESTIME
LANKANRUPEE
OHSOSHARP

# Puzzle #25

# HORSE RACING WORDSEARCH

```
X  T  N  E  M  E  L  C  Y  T  W  L  J  H  S
N  E  X  L  B  B  A  S  B  R  B  B  F  H  E
J  E  N  O  W  E  N  E  H  T  F  W  B  Y  K
F  L  W  H  E  A  T  L  E  Y  T  I  C  H  O
I  N  V  A  S  O  R  R  L  H  S  B  W  U  V
P  F  E  P  J  M  G  F  E  O  H  O  N  O  D
Z  R  N  O  J  N  I  X  I  S  W  W  A  C  E
J  N  I  Y  Q  V  N  M  C  Y  N  Q  S  T  E
L  I  B  A  S  L  A  S  E  F  G  U  A  D  P
K  G  E  T  K  G  T  W  S  R  X  J  X  G  I
Z  V  U  B  U  S  V  R  T  T  C  J  E  R  M
M  J  F  W  H  S  R  A  E  I  O  E  K  L  P
S  S  J  Q  M  D  O  I  R  B  Z  T  R  F  A
W  Y  D  K  X  G  S  O  H  K  O  V  T  A  C
Q  Y  W  D  J  G  U  A  H  T  Q  R  O  J  T
```

| | | |
|---|---|---|
| CLEMENT | MERCER | THIRSK |
| DEEPIMPACT | ROBERT | WHEATLEY |
| DONOHOE | SALSABIL | |
| INVASOR | STOTT | |
| LEICESTER | THENEWONE | |

# HORSE RACING WORDSEARCH

```
P  B  Q  H  R  E  S  Z  Y  G  C  W  N  F  Q
V  O  P  O  V  E  R  T  H  E  R  O  A  D  E
V  V  S  F  J  S  E  K  I  D  I  K  Y  H  O
H  W  J  S  D  H  R  D  G  S  T  C  F  F  F
S  E  L  A  Y  O  R  E  S  S  E  T  L  A  R
Q  T  T  E  N  N  E  B  Y  N  R  Y  I  W  F
W  W  K  F  I  R  R  C  W  P  I  H  U  X  K
Y  W  R  A  S  U  H  U  K  C  O  D  Y  A  H
V  F  Z  A  P  M  E  N  O  P  N  Q  Z  U  W
E  Q  C  M  D  I  C  I  A  F  A  T  S  G  X
Q  O  D  E  A  N  T  C  H  M  I  Z  Q  U  S
D  R  Q  Q  C  T  N  X  A  T  L  T  U  Z  G
Z  Y  A  B  L  A  D  I  T  I  A  T  T  A  G
Q  E  X  R  I  S  P  U  S  S  N  M  O  E  Q
C  Y  T  N  Y  D  T  V  Y  N  N  K  N  W  P
```

| | | |
|---|---|---|
| ALTESSEROYALE | MCCAIN | SINNDAR |
| BENNETT | OVERTHEROAD | TIDALBAY |
| CRITERION | PETTIFOUR | |
| HAYDOCK | PYERS | |
| MATHIEU | REED | |

# HORSE RACING WORDSEARCH

```
W  J  P  E  S  L  I  E  R  V  R  P  M  Z  Q
M  L  S  I  J  S  J  Q  R  C  K  X  Y  L  U
I  E  E  U  Z  E  E  U  K  I  U  B  Q  U  V
I  P  M  H  O  M  U  N  M  C  S  P  N  S  I
N  B  N  I  P  R  U  A  D  C  J  F  N  O  Y
N  F  X  D  T  I  E  O  E  A  U  F  N  N  I
E  C  X  G  V  R  K  N  T  I  M  V  K  O  N
H  A  R  D  I  E  A  S  E  K  B  N  R  F  G
O  R  X  F  O  A  L  C  N  G  A  O  O  L  A
M  F  N  E  O  W  S  H  S  O  C  M  D  O  W
A  J  O  U  J  I  N  Y  E  O  K  W  U  V  M
W  K  B  X  O  C  M  I  Y  L  W  L  A  E  H
I  F  I  J  H  Y  E  U  N  H  A  I  O  O  L
B  G  I  L  L  G  O  J  O  G  R  C  D  B  U
C  X  N  V  C  F  C  D  K  Q  D  I  W  M  B
```

| | | |
|---|---|---|
| BACKWARD | GENEROUS | PESLIER |
| BOLKONSKI | HARDIE | SIRE |
| DOBIE | MAKTOUM | SONOFLOVE |
| DOWNING | MIINNEHOMA | |
| DOYOUN | MOONMADNESS | |
| FOAL | OSCARTIME | |

# HORSE RACING WORDSEARCH

```
M  J  R  V  W  Y  Z  D  O  S  A  G  L  W  C
U  Q  H  H  R  C  R  N  E  G  F  D  G  N  T
R  U  Y  B  G  E  J  D  B  C  L  J  T  P  M
P  I  M  S  R  S  I  G  R  U  A  J  Q  B  R
H  N  E  R  B  R  U  M  E  O  S  P  E  I  O
Y  N  N  V  G  L  E  N  E  A  G  L  E  S  C
D  S  R  D  L  P  Y  H  Z  R  B  N  R  N  K
L  X  E  R  S  O  Q  X  E  H  P  P  R  O  O
W  X  A  G  T  I  P  W  U  N  R  G  H  I  N
R  I  S  F  S  N  R  E  P  V  B  E  F  N  R
B  Y  O  Y  A  C  O  T  L  R  Y  I  G  V  U
U  K  N  T  I  E  S  C  W  T  L  L  T  T  B
D  E  K  A  U  L  J  A  O  P  T  F  X  K  Y
J  I  Z  T  G  E  G  M  Z  G  F  I  U  J  E
A  Y  Y  P  U  T  C  D  K  O  H  J  L  N  N
```

| | | |
|---|---|---|
| BREEZE UP | ONE PACED | ROCKONRUBY |
| GLENEAGLES | POINCELET | |
| HENBIT | PREMIER | |
| LITTLEPOLVEIR | QUINN | |
| MURPHY | RHYMENREASON | |

Puzzle #29

# HORSE RACING WORDSEARCH

```
K U Y O B L L I H Y N N U S B
K Y E W A L S H T J C A F H Z
T M T I T I I L U L Z C U D R
S B O U C H E R C Y R H R K Q
M G K D E G I N O P N F P W P
J I K N G L N G A T G Z R J W
N O N M E N M S B H T R X S P
X J V A W L I T N C P E R V J
B Q B S G H L K T W J I D H Z
S Q D D O O R U L J P W P F J
D Y L A N T H O M A S Z M E Y
F S G E K I N T E R M E Z Z O
L I S T E D R A C E Y I R S F
B D L F Q S L L O H C I N Q Z
H Q A G V O K V H M G U E A D
```

ANIMALKINGDOM     HOGAN     NICHOLLS

BOUCHER     INTERMEZZO     SUNNYHILLBOY

DETTORI     LEE     WALSH

DYLANTHOMAS     LISTED RACE

EPIPHANEIA     MULLEN

# HORSE RACING WORDSEARCH

```
I  R  U  R  N  M  Y  C  L  P  E  K  B  O  S
D  R  N  Z  P  A  R  A  D  E  R  I  N  G  U
F  P  S  O  W  E  N  C  J  J  C  F  R  F  P
O  E  E  E  I  K  Z  E  J  N  H  U  Z  F  R
Z  R  H  N  C  T  N  R  E  L  K  O  H  F  E
E  A  O  C  N  C  I  O  O  K  W  O  W  O  M
Q  A  M  U  T  E  U  D  N  B  Q  N  T  P  E
X  G  V  P  G  N  K  S  E  N  E  K  H  N  G
G  D  S  L  K  H  A  A  R  M  E  Y  B  J  L
R  J  H  L  I  Z  Q  S  M  E  A  L  J  Z  O
X  H  U  F  X  S  G  U  S  P  D  H  G  K  R
O  L  W  E  A  K  A  O  E  I  G  L  R  Z  Y
D  A  A  U  S  A  A  D  Y  S  U  C  A  U  J
S  Z  G  D  N  H  H  T  V  L  T  P  B  B  D
P  T  K  I  C  K  I  N  G  K  I  N  G  C  R
```

| | | |
|---|---|---|
| BALDERSUCCES | JEZKI | PUISSANTCHEF |
| DA SILVA | KEENAN | RELKO |
| DURHAMEDITION | KICKINGKING | ROUGHQUEST |
| GLENNON | PARADE RING | SUPREMEGLORY |
| HAAFHD | PENNEKAMP | |

# HORSE RACING WORDSEARCH

```
Y  Z  D  Q  I  O  M  R  U  O  P  F  X  V  H
B  A  K  N  C  W  R  O  T  A  V  I  T  O  M
R  U  H  T  I  O  R  T  E  D  J  O  M  Y  Z
R  Q  I  C  P  W  O  P  V  D  W  R  I  H  A
X  O  R  A  A  X  G  K  H  B  G  B  J  M  J
L  M  S  E  N  O  C  N  A  I  B  O  N  I  R
V  A  L  D  M  D  R  I  I  U  L  K  L  X  N
V  C  S  Z  N  I  R  P  M  W  R  L  S  M  V
U  K  P  R  Z  I  A  Y  P  N  O  G  S  M  J
M  E  C  Y  E  P  W  L  Z  A  P  L  B  A  L
O  N  C  R  O  H  Z  N  C  K  N  S  B  U  C
K  Z  L  Q  Z  N  T  S  W  E  M  W  R  O  Z
B  I  J  D  S  O  P  A  Z  O  K  I  A  N  M
W  E  E  R  J  J  S  L  M  W  R  N  A  D  X
D  Z  I  F  Y  V  B  S  W  Y  C  B  J  O  D
```

| | | |
|---|---|---|
| ANDRY | CLAIMER | MATHERS |
| BIANCONE | DAWNAPPROACH | MOTIVATOR |
| BLOWINGWIND | DETROIT | POURMOI |
| BONI | HILLS | |
| BROWNWINDSOR | MACKENZIE | |

# HORSE RACING WORDSEARCH

```
X  S  T  I  Q  R  Q  A  T  G  C  Z  V  O  P
K  R  U  E  N  E  R  P  E  R  T  N  E  E  H
F  K  L  N  T  S  G  O  O  F  A  W  H  B  W
X  M  Y  Y  M  S  A  L  I  S  B  U  R  Y  C
X  Y  A  X  O  M  I  G  H  T  Y  M  A  N  M
E  G  R  Y  N  K  G  N  I  D  L  E  I  F  S
W  L  A  V  A  K  R  A  Z  M  C  A  G  L  D
F  U  A  M  D  T  E  I  H  C  I  S  X  Q  S
G  F  E  C  E  E  L  F  N  E  D  L  O  G  A
L  D  X  E  U  E  K  T  L  G  W  Q  A  A  U
A  A  N  F  A  H  R  O  G  N  A  B  T  N  B
P  O  V  K  T  O  S  T  S  U  J  A  A  Q  D
E  S  I  U  D  N  S  V  N  D  P  V  B  X  G
B  P  C  S  N  I  J  U  Y  I  H  M  Z  R  E
W  V  H  H  H  D  Y  S  I  M  A  D  L  S  W
```

| | | |
|---|---|---|
| AINTREE | GOLDENFLEECE | SALISBURY |
| ALTIOR | JUSTSO | TULYAR |
| BANGOR | MIGHTYMAN | ZARKAVA |
| ENTREPRENEUR | MILAN | |
| FIELDING | MONADE | |

Puzzle #33

# HORSE RACING WORDSEARCH

```
O  G  L  H  V  N  X  W  F  N  B  E  L  L  Z
K  T  G  L  G  G  N  O  U  C  W  P  E  W  Y
I  O  E  O  E  S  S  E  I  U  E  V  A  Z  X
N  U  I  E  D  W  R  C  I  N  B  C  G  T  W
G  C  V  V  D  O  T  E  Q  R  F  O  U  G  D
S  H  U  S  E  G  L  N  D  U  B  H  E  S  R
C  I  U  E  R  Y  L  P  O  N  R  O  Z  C  W
O  N  K  K  Y  E  Y  E  H  F  U  L  G  V  O
T  G  K  R  C  A  K  H  K  I  Y  A  K  B  P
E  W  M  A  C  U  R  R  A  N  N  S  S  E  J
F  O  V  C  T  U  C  E  A  F  A  Y  C  W  A
D  O  E  G  V  R  V  M  Z  B  D  R  Y  X  L
F  D  G  G  S  W  A  L  I  A  A  U  F  S  M
L  X  G  Z  B  K  B  T  T  R  B  D  P  Z  D
R  M  A  W  Z  G  D  O  L  B  D  H  Y  G  V
```

| | | |
|---|---|---|
| BARKER | FRANKEL | SAUNDERS |
| CURRAN | GODOLPHIN | TARTAK |
| EDDERY | KINGSCOTE | TOUCHINGWOOD |
| FAHY | LEAGUE | |
| FONTWELL | OBRIEN | |

# HORSE RACING WORDSEARCH

```
Q  Q  S  A  R  T  E  Q  H  M  F  J  W  M  M
H  S  I  R  E  D  E  G  R  U  G  Y  Q  E  Y
S  M  X  S  P  B  M  W  O  L  L  O  W  S  A
U  A  O  N  D  S  A  R  R  R  C  N  I  T  I
K  N  C  Y  O  R  F  R  S  E  A  G  R  A  M
U  A  D  R  G  L  O  H  Z  N  L  U  K  T  S
R  G  C  U  E  L  P  W  P  N  Y  N  G  T  R
X  D  O  H  L  D  A  V  G  A  E  E  I  E  J
N  W  D  R  C  A  K  R  U  N  N  E  R  R  L
K  L  M  Q  M  R  T  I  E  L  I  A  N  S  H
C  J  Q  G  J  L  S  I  N  E  Q  V  U  A  K
F  A  R  S  D  T  E  R  N  G  K  J  O  L  R
S  U  N  N  Y  B  A  Y  X  G  D  L  I  L  U
C  P  E  D  D  L  E  R  S  C  R  O  S  S  W
N  W  O  R  C  E  L  P  I  R  T  S  M  H  Q
```

| | | |
|---|---|---|
| GORMLEY | RUNNER | TATTERSALLS |
| LOVINGWORDS | SACREDKINGDOM | TRIPLE CROWN |
| MOYGLARE | SEAGRAM | UNDULATING |
| MULRENNAN | SIREDEGRUGY | WOLLOW |
| PEDDLERSCROSS | SUNNYBAY | |

# HORSE RACING WORDSEARCH

```
N  I  A  C  I  R  E  M  A  F  W  W  L  X  Q
C  P  V  S  T  J  H  G  D  O  T  P  G  F  O
R  L  G  W  N  U  V  U  M  T  Z  N  U  O  P
O  A  R  A  L  W  O  P  O  H  O  V  R  R  D
F  U  A  E  N  L  O  D  E  T  T  C  I  E  E
R  W  Y  I  F  N  E  T  E  W  N  N  S  M  H
F  C  G  D  Z  R  A  W  S  H  F  A  I  A  S
U  U  S  N  K  Z  T  S  Y  E  S  A  H  N  E
R  E  I  U  Q  S  A  P  E  L  H  U  D  S  A
O  R  F  E  V  R  E  K  Y  N  O  C  P  T  A
T  G  A  A  E  G  E  X  H  D  Y  H  N  B  I
O  N  R  Z  V  Z  V  Y  F  S  Q  A  K  U  B
F  R  A  Z  O  O  O  N  L  V  Z  Y  H  D  P
F  B  G  S  D  D  Q  O  N  H  G  W  P  R  S
U  G  O  H  D  W  I  S  R  D  B  G  Z  K  C
```

| | | |
|---|---|---|
| AMERICAIN | HERN | PUNCHESTOWNS |
| ASCOT | HOLYWELL | PUSHED OUT |
| FOREMAN | KAZZIA | SANNA |
| GRAY | ORFEVRE | SHANTOU |
| HAYNES | PASQUIER | |

# HORSE RACING WORDSEARCH

```
V  O  Y  P  O  R  U  S  T  E  D  E  S  T  T
H  N  T  S  T  F  B  Y  O  R  T  I  X  E  H
T  H  E  H  I  U  D  D  Q  X  E  N  L  V  K
R  F  U  H  B  R  P  G  N  Y  Z  B  Z  W  W
O  E  W  G  R  Z  U  A  Y  A  M  S  O  C  M
D  X  C  X  H  H  Q  L  K  P  Z  F  K  R  S
X  F  H  W  N  E  M  C  E  Y  F  R  O  P  P
E  R  O  C  N  E  S  A  R  O  R  U  A  R  E
H  I  H  X  P  K  X  D  H  A  F  S  O  H  N
J  E  Y  L  L  E  K  O  K  N  D  L  N  P  C
U  F  E  A  D  D  S  R  B  L  E  L  A  O  E
R  O  N  E  S  N  A  R  G  L  E  K  Z  W  R
D  M  O  T  E  K  Q  Z  O  L  M  P  A  R  Y
D  J  G  K  X  L  X  L  X  H  L  C  A  F  J
Y  U  G  B  R  A  M  Z  G  S  I  I  Q  N  P
```

| | | |
|---|---|---|
| AURORASENCORE | HORSE | SIR |
| ELGRANSENOR | HUGHES | SPENCER |
| FAKENHAM | KELLY | TROY |
| GALCADOR | PROBERT | VOYPORUSTEDES |
| HARZAND | RULEOFLAW | |

# HORSE RACING WORDSEARCH

```
S  D  X  N  S  P  S  T  O  L  E  M  A  C  L
G  R  L  O  T  H  M  Q  S  I  T  I  Y  A  F
M  V  V  R  Y  H  A  I  T  O  A  Y  B  F  S
J  K  N  U  O  K  P  H  H  R  P  O  A  W  X
U  T  O  M  O  W  X  J  R  F  M  E  X  X  Z
A  Y  N  O  T  O  E  A  K  A  E  P  T  G  F
X  D  F  H  L  J  J  H  K  H  S  K  T  N  U
F  L  H  T  V  L  Y  E  T  S  Q  T  Y  I  A
L  J  R  Q  D  R  A  B  N  E  I  R  A  M  H
U  E  A  P  Y  W  P  U  H  I  L  R  Y  N  Z
S  P  K  A  Z  K  G  L  S  F  F  U  A  Y  I
C  B  E  Y  B  R  E  T  S  A  E  D  R  S  J
T  O  A  G  O  R  I  M  O  U  C  Q  Y  K  U
W  I  K  P  M  R  S  T  X  M  T  G  I  E  E
K  M  P  K  G  Q  G  W  V  Z  S  Y  X  F  K
```

| | | |
|---|---|---|
| ANTE POST | MARIENBARD | TOAGORIMOU |
| CAMELOT | RULETHEWORLD | TONY |
| CASUALLOOK | SARISKA | |
| EASTERBY | SHAHRASTANI | |

Puzzle #38

# HORSE RACING WORDSEARCH

```
J  B  O  R  M  J  V  K  J  I  X  K  U  F  S
V  N  E  T  M  A  D  O  D  N  O  M  S  J  Z
R  A  Q  Z  R  K  N  O  T  R  O  N  X  O  F
S  Q  U  C  G  A  P  D  M  N  A  L  G  X  C
S  O  E  Z  F  I  U  K  U  X  Z  E  A  W  Y
R  I  M  J  W  C  B  T  G  R  C  T  H  N  W
A  H  S  S  F  X  S  S  S  A  O  D  T  M  C
I  X  B  C  O  R  W  E  L  L  R  J  G  V  M
B  W  H  E  N  C  W  A  V  L  A  B  C  T  X
R  C  W  Y  T  P  C  C  E  A  A  Y  U  X  Y
S  I  T  O  I  K  O  I  T  N  E  T  O  T  M
T  W  B  W  B  Z  V  Y  T  Y  C  E  S  R  T
Q  G  B  E  H  R  R  G  L  C  J  O  K  Z  M
G  S  S  R  R  H  Z  P  B  I  R  B  R  C  L
E  T  P  U  X  O  E  P  F  W  H  A  V  E  M
```

| | | |
|---|---|---|
| ALLAN | FOXNORTON | NOLAN |
| ARCTICCOSMOS | GARBUTT | RIBERO |
| BIGZEB | HEARD | ROYALSTUART |
| EAVES | MANDURO | STALLS |
| ENCORE | MCKEE | |

# HORSE RACING WORDSEARCH

```
S  C  I  T  I  L  O  P  Y  T  R  A  P  U  W
D  W  Y  E  R  I  A  F  F  A  E  G  A  T  S
W  V  G  U  V  T  D  Z  T  F  Z  N  E  T  R
K  V  A  F  Q  O  N  R  U  I  U  F  G  O  V
J  O  Y  T  N  C  B  F  I  G  Q  O  Q  X  D
A  L  D  R  P  A  B  A  E  J  Z  F  F  E  L
Y  S  B  N  E  S  S  P  T  E  H  X  J  T  E
W  O  D  A  O  S  V  H  E  U  R  I  U  E  O
Z  L  I  T  U  S  R  Y  W  P  C  L  F  R  E
R  I  C  A  F  E  N  U  G  A  L  A  L  D  C
J  T  Z  U  T  G  N  I  N  D  N  U  C  I  L
O  A  X  Z  A  S  R  E  K  N  I  L  B  S  M
F  I  O  N  D  U  E  D  L  C  K  Q  E  S  Z
O  R  Y  J  P  P  K  F  A  L  I  X  E  Z  O
N  E  C  R  O  G  E  O  W  K  I  D  S  V  V
```

| | | |
|---|---|---|
| BLINKERS | MILLREEF | UTTOXETER |
| CUTABOVE | NASHWAN | VOLSOLITAIRE |
| DICKINSON | NURSERY | |
| DWYER | PARTYPOLITICS | |
| LALAGUNE | STAGEAFFAIR | |

# HORSE RACING WORDSEARCH

```
T  Z  M  N  E  H  T  U  A  C  O  N  F  B  M
Z  Q  P  O  O  F  Q  L  N  V  A  N  A  O  M
Y  L  D  C  N  N  E  C  L  R  R  R  W  Y  Y
T  T  E  L  B  A  N  E  V  A  J  L  I  S  Q
H  R  D  N  J  W  N  A  Z  L  F  X  N  N  L
O  O  P  X  D  I  Q  O  H  W  Z  T  D  L  G
R  W  B  Q  C  X  H  D  R  C  V  N  S  Z  A
O  K  W  S  P  R  I  N  T  E  R  F  O  E  L
U  R  A  G  T  R  A  D  E  B  X  S  R  W  W
G  Q  L  L  D  E  S  S  E  S  S  A  T  O  N
H  Z  N  F  E  N  S  G  O  S  L  J  J  W  C
B  N  U  S  Q  I  T  Y  I  P  O  Q  N  V  L
R  Y  U  M  A  S  U  R  B  Y  I  U  T  S  F
E  S  U  V  T  R  L  X  X  U  B  C  S  R  L
D  W  T  C  K  P  Y  D  S  J  B  X  I  A  L
```

| | | |
|---|---|---|
| CAUTHEN | MONANORE | THOROUGHBRED |
| CHANNON | NOTASSESSED | WESTFALL |
| DE SOUSA | RAGTRADE | WINDSOR |
| ENABLE | SPRINTER | |

# HORSE RACING WORDSEARCH

```
Q  C  N  M  S  S  E  C  N  I  R  P  N  U  S
D  C  K  O  P  R  I  N  C  E  R  O  Y  A  L
F  G  I  A  S  T  X  T  W  T  E  A  S  T  U
H  K  L  T  D  R  A  N  F  T  D  G  C  T  G
V  M  U  O  S  Q  E  H  G  Q  U  U  D  P  T
Q  U  K  V  O  B  R  T  T  X  F  P  V  J  K
V  W  H  B  L  R  U  J  S  F  F  A  F  L  Z
R  R  I  L  E  F  D  R  O  N  O  C  R  U  O
L  X  G  O  V  P  I  E  B  O  I  E  C  A  U
B  O  J  L  M  A  R  G  N  I  D  M  R  Z  H
J  D  R  L  O  B  U  L  O  N  G  L  O  O  K
P  L  L  D  S  G  D  E  J  Q  I  V  P  Z  M
B  F  O  R  S  Z  P  A  F  X  F  S  S  N  Z
F  O  K  B  G  A  Q  R  D  H  A  S  R  C  N
T  F  Q  C  O  Z  M  L  F  F  H  K  E  S  S
```

| | | |
|---|---|---|
| DENNIS | LORDSAM | PRINCEROYAL |
| INGRAM | MINSTERSON | RUBSTIC |
| LEVMOSS | MOREOFTHAT | SUNPRINCESS |
| LONGLOOK | OURCONOR | |

# HORSE RACING WORDSEARCH

```
M  Z  M  B  J  Y  X  R  D  G  U  V  B  P  L
O  R  O  Y  A  L  A  U  C  L  A  I  R  U  T
C  W  N  O  L  Z  L  R  K  I  Z  B  O  E  S
S  P  F  H  P  J  C  P  U  V  I  T  U  V  S
H  F  I  M  F  G  J  W  A  S  U  S  K  W  L
X  B  L  O  J  O  G  A  B  F  S  W  M  O  J
Y  C  S  H  U  R  R  I  C  A  N  E  R  U  N
D  E  D  N  I  M  R  E  T  S  A  M  L  C  S
A  V  A  Y  P  Z  R  W  F  X  I  R  V  L  S
Q  U  J  T  W  E  O  R  Q  L  S  C  Q  M  F
Z  W  F  Q  S  A  L  L  W  E  A  T  H  E  R
T  A  E  H  D  A  E  D  O  O  H  G  W  Z  I
P  D  S  G  N  I  K  C  I  P  M  I  L  S  O
T  M  L  W  V  L  R  E  N  R  E  T  S  E  W
K  F  J  M  O  V  A  N  E  H  B  P  N  L  K
```

| | | |
|---|---|---|
| ALFEROF | HURRICANERUN | WESTERNER |
| ALL WEATHER | MASTERMINDED | YEATS |
| BAGO | MONFILS | |
| BRIDLE | ROYALAUCLAIR | |
| DEAD HEAT | RUSSELL | |
| HOOD | SLIMPICKINGS | |

Puzzle #43

# HORSE RACING WORDSEARCH

```
B L N L Q N W O D N A S L I Q
U L Z B K H V A L I R A M I X
B F A K I W E R O O M X G Y N
G L Z C J K N T Q R V O G T N
P S A M K E R Y H R V X L V Z
K E D C G A Z Z E E D I K I N
I V G A K E P M O R R I S R Q
H S Y R N H E A Y J H S B L C
O N K T O R E E L X E S E D A
L F C M I F P R F A Z I N T G
B I K E T O E L C S C G R D T
Y P P L X B B D I U S H Y B E
O C N J M G K Y A O L W I R E
O E S E E N W A P W Y E X L O
X G C O N N E C T I O N S A P
```

BLACKAPALACHI    HETHERSETT    SANDOWN
BLACKHERCULES    MOORE    VALIRAMIX
CARTMEL    MORRIS
CONNECTIONS    NIKIDEE
DEFORGE    PAWNEESE

# HORSE RACING WORDSEARCH

```
F  I  W  T  I  M  E  C  H  A  R  T  E  R  Q
T  A  O  L  E  E  D  E  H  T  R  E  V  O  Y
F  X  R  Z  Y  W  A  X  F  M  O  F  O  M  K
X  G  C  S  A  L  S  O  F  F  Y  G  D  I  P
Z  C  E  X  Z  G  K  T  V  Y  T  R  A  M  S
K  C  S  N  S  O  K  I  T  S  Y  M  I  K  T
S  K  T  C  G  I  X  C  N  X  C  S  K  O  Q
S  C  E  C  R  M  N  D  D  G  Y  L  Z  Q  S
Y  S  R  T  E  N  R  A  J  V  S  Z  T  D  E
U  F  A  F  R  S  G  N  H  T  S  M  K  F  A
X  Q  G  F  Y  Y  R  C  N  K  D  N  A  J  C
Z  S  C  T  M  E  H  E  K  A  A  J  J  R  F
Q  U  A  L  I  T  Y  R  O  A  D  L  O  Y  K
F  F  Q  W  B  J  A  U  O  L  U  K  A  S  K
D  V  G  O  L  Z  G  O  O  D  W  O  O  D  U
```

| | | |
|---|---|---|
| DALAKHANI | KINGSMARK | SMARTY |
| EXOTICDANCER | LUKAS | TIMECHARTER |
| FFOS LAS | MYSTIKO | WAS |
| GOODWOOD | OVERTHEDEEL | WORCESTER |
| JARNET | QUALITYROAD | |

# HORSE RACING WORDSEARCH

```
R  L  Y  N  E  W  A  P  P  R  O  A  C  H  O
N  U  A  R  X  N  Q  X  G  Z  P  I  A  W  Q
L  J  P  Y  L  B  T  U  U  D  Q  Y  P  K  U
H  X  K  S  O  A  L  R  R  H  P  X  T  H  E
U  X  D  I  K  R  V  U  B  Y  U  N  A  H  S
M  G  P  L  N  R  N  A  E  U  A  L  I  C  T
B  E  M  U  E  G  A  W  C  C  F  I  N  E  F
N  T  Y  L  P  I  O  L  O  T  H  R  C  H  O
U  T  N  B  Y  J  F  F  A  D  H  A  H  L  R
V  J  D  O  U  O  X  E  K  O  C  G  R  K  F
M  Y  F  T  S  C  Y  A  G  I  D  G  I  M  A
X  Z  S  E  N  T  I  P  N  D  N  Z  S  L  M
H  W  P  E  C  D  A  V  O  O  E  G  E  L  E
Y  L  L  A  E  U  Q  W  F  T  O  S  S  Q  P
A  Z  Y  C  H  C  U  E  F  I  L  M  A  B  P
```

| | | |
|---|---|---|
| AYR | LARKSPUR | QUESTFORFAME |
| BLUECHARM | LIGHTCAVALRY | SEDGEFIELD |
| CAPTAINCHRIS | MOONAX | TOPYO |
| DOWN ROYAL | NEWAPPROACH | WATSON |
| KINGOFKINGS | QUEALLY | |

# HORSE RACING WORDSEARCH

```
N  B  N  Z  H  G  R  U  B  L  E  S  S  U  M
H  K  O  M  E  E  T  S  E  F  O  K  R  A  M
G  T  T  U  T  Z  L  Z  N  O  L  U  O  T  S
B  Q  S  M  D  I  S  L  P  Y  E  K  G  Z  A
N  B  B  L  R  O  S  J  S  D  M  L  F  V  I
J  R  E  A  E  E  T  U  Z  I  A  C  W  J  N
M  A  A  S  Q  V  T  Y  I  K  I  U  Z  C  T
F  E  N  T  I  M  A  N  Q  L  R  T  N  Y  M
U  U  N  S  S  U  J  R  U  Z  E  K  N  K  A
U  M  C  U  Z  N  K  A  G  H  N  R  N  H  R
A  U  Q  S  X  S  E  B  Z  S  E  E  U  D  T
E  N  U  P  Q  D  V  M  G  M  O  G  G  A  I
L  O  W  E  T  J  B  F  E  I  C  C  D  R  N
E  D  O  C  L  I  D  O  H  L  E  R  W  E  Y
L  C  W  T  Z  J  O  V  T  U  F  C  D  D  H
```

| | | |
|---|---|---|
| AURELIUS | HEDGEHUNTER | SAINTMARTIN |
| BOUDOT | LASTSUSPECT | TOULON |
| COSGRAVE | LEMAIRE | |
| FENTIMAN | MARKOFESTEEM | |
| FLEMENSTAR | MUSSELBURGH | |

# HORSE RACING WORDSEARCH

```
W  S  E  L  G  A  E  F  O  S  G  N  I  W  X
T  N  A  N  O  C  N  I  A  T  P  A  C  U  K
Q  J  L  O  N  R  A  C  U  L  Y  Y  I  R  T
T  B  C  O  K  B  F  L  B  E  J  V  C  B  O
W  O  T  S  P  E  H  C  L  J  K  H  U  A  S
C  X  H  X  G  S  T  A  Y  I  N  G  O  N  N
H  U  J  I  I  T  K  V  O  L  T  N  H  S  K
H  R  R  A  H  M  K  L  N  E  G  A  N  E  R
T  D  S  R  K  A  G  Q  M  T  W  G  D  A  E
N  N  U  E  I  T  U  E  L  B  A  P  P  A  C
A  N  O  O  M  E  R  I  M  D  A  F  F  K  Y
L  J  Y  T  X  A  X  S  R  I  O  Y  O  Z  N
Q  M  J  B  R  H  J  G  U  O  A  C  L  F  O
B  Y  U  X  V  O  F  L  C  P  F  M  V  N  E
H  E  Y  R  D  X  N  K  J  D  M  E  V  N  I
```

| | | |
|---|---|---|
| ADMIREMOON | CHEPSTOW | NORTON |
| BESTMATE | CURRIE | STAYING ON |
| CALLITADAY | EGAN | URBANSEA |
| CAPPABLEU | JAMES | WINGSOFEAGLES |
| CAPTAINCONAN | LUCARNO | |

# HORSE RACING WORDSEARCH

```
I  K  E  B  T  B  C  O  E  N  J  T  Z  J  N
E  M  Z  M  D  D  V  A  E  R  O  M  N  C  S
N  S  M  K  J  J  H  N  N  D  Z  O  X  W  P
D  S  R  N  M  A  M  O  I  E  G  F  X  X  I
R  R  U  E  I  J  F  W  H  P  S  H  V  N  R
C  N  A  A  V  F  J  O  H  A  L  S  P  T  I
G  C  K  W  L  F  H  H  R  L  R  V  O  F  T
K  B  H  D  E  C  O  O  E  M  K  L  P  M  S
G  B  B  J  X  T  A  S  T  A  H  N  E  O  O
S  X  Q  B  P  Y  S  T  M  S  D  A  A  Y  N
J  S  K  P  T  G  M  Q  N  A  I  J  X  I  A
E  N  A  V  Y  K  C  U  L  A  E  H  V  V  R
I  Y  V  E  X  Y  J  C  Q  X  S  R  P  F  R
W  O  L  V  E  R  H  A  M  P  T  O  N  E  T
B  V  V  Q  Q  D  Y  B  R  I  K  X  T  U  M
```

DEPALMAS          LUCKYVANE          SANTACLAUS
FORM              MEPHISTO           SPIRITSON
HARLEY            MOSSE              STEWARD
HEAD              REAMSOFVERSE       WOLVERHAMPTON
KIRBY             SAEED

# HORSE RACING WORDSEARCH

```
E  R  Z  G  R  W  Z  P  L  Q  I  R  D  B  R
Z  T  Q  D  O  J  E  R  E  D  A  Z  R  G  M
D  J  A  D  R  R  F  Q  D  B  E  S  D  L  O
K  K  V  L  S  H  D  K  M  D  G  Z  E  O  N
N  C  R  J  L  X  A  O  U  J  Q  M  V  R  T
Y  H  O  H  C  I  M  N  N  S  I  I  I  I  Y
U  K  G  T  C  U  T  P  D  L  T  E  O  A  S
R  T  I  R  S  U  O  N  S  I  N  S  U  V  P
F  S  W  A  R  D  O  I  I  I  C  A  S  I  A
F  M  F  X  L  X  O  R  P  C  G  A  Z  C  S
R  P  F  A  Z  A  B  O  C  X  S  D  P  T  S
B  M  K  Q  K  K  A  L  L  E  G  E  D  I  Z
H  M  T  N  J  H  N  E  W  B  U  R  Y  S  L
R  H  S  U  M  I  T  P  E  S  J  Q  S  A  D
N  W  X  R  Y  L  S  L  H  Y  Q  U  E  D  Q
```

| | | |
|---|---|---|
| ALLEGED | EDMUNDS | MONTYSPASS |
| BLOODSTOCK | GLORIAVICTIS | NEWBURY |
| CROUCH | GORDON | SCINTILLATE |
| DRAW | HANDICAP | SEPTIMUS |
| DRDEVIOUS | JERED | |

# HORSE RACING WORDSEARCH

```
X  L  P  G  E  L  E  P  O  X  W  W  L  I  D
I  C  R  S  C  S  I  A  C  A  X  T  A  C  R
M  G  H  A  M  E  B  G  W  X  Z  U  M  Z  B
W  E  A  V  E  R  Z  R  P  O  U  I  M  K  V
J  T  C  C  P  P  B  U  O  Q  J  J  T  C  N
E  G  T  I  R  Y  A  O  F  O  D  O  A  A  S
U  G  F  T  R  X  B  D  X  Y  D  Q  R  R  C
A  G  R  U  M  E  T  I  I  E  D  M  R  V  Q
Z  G  G  U  P  H  N  D  G  R  D  U  A  E  W
Z  V  P  F  N  F  Q  I  I  V  O  I  V  R  I
T  I  Y  T  R  S  Z  X  L  V  M  L  N  A  E
D  E  X  T  F  D  F  I  Y  L  R  R  F  V  J
S  E  O  R  E  H  E  R  O  M  O  N  M  C  T
M  S  H  A  H  T  O  U  S  H  U  B  D  T  M
Z  H  E  R  C  A  S  R  E  T  N  I  R  P  S
```

BOLLINERIC
BOXED IN
BROODMARE
CARVER
FLORIDAPEARL

GRUMETI
LAMMTARRA
NOMOREHEROES
SHAHTOUSH
SNURGE

SPRINTERSACRE
WEAVER

# HORSE RACING WORDSEARCH

```
Q  N  A  M  O  N  A  M  C  M  X  W  L  C  Z
I  D  F  S  U  W  O  A  O  M  J  A  D  X  A
K  M  O  A  J  N  D  T  Q  T  I  J  D  M  M
K  B  S  C  I  C  Z  O  L  L  T  E  B  S  V
N  R  E  N  I  R  A  M  O  I  L  U  J  V  B
B  C  T  T  U  H  E  H  C  M  M  O  C  Y  N
Z  R  D  I  S  C  R  E  E  T  C  A  T  X  A
D  A  E  D  H  O  A  A  A  G  I  Y  H  X  V
U  U  X  D  P  C  U  B  D  Q  W  B  C  E  P
P  N  P  B  C  V  T  T  E  L  A  E  V  B  B
C  U  J  N  O  A  M  A  S  N  Y  A  O  N  Y
F  E  N  B  O  J  R  E  K  I  U  S  S  H  K
J  X  L  T  L  H  P  Y  U  L  D  L  G  R  F
W  L  C  T  E  F  Q  Y  P  G  X  E  A  S  G
N  I  G  K  Y  R  W  L  K  R  C  Y  R  M  I
```

| | | |
|---|---|---|
| BEASLEY | JULIOMARINER | OUTSIDER |
| BIT | KATCHIT | PUNTER |
| COOLEY | MALUNE | REDCAR |
| DISCREETCAT | MCMANOMAN | |
| HAMILTON | MOTT | |

# HORSE RACING WORDSEARCH

```
V  E  D  R  E  D  O  N  B  L  E  U  F  D  T
W  D  R  T  H  I  S  T  L  E  C  R  A  C  K
Z  M  U  C  H  O  M  U  C  H  O  M  A  N  C
J  R  S  Z  I  M  P  O  R  P  S  Z  Y  N  R
V  L  A  R  R  A  P  A  H  C  H  G  I  H  H
X  L  E  I  R  X  B  Q  E  V  U  R  Y  A  M
W  J  R  H  X  J  G  T  Q  W  Z  N  Z  L  U
V  R  O  B  E  R  T  O  T  U  J  U  M  R  L
O  D  N  E  U  N  I  M  I  D  I  L  A  H  K
N  E  G  A  L  R  A  C  Y  D  A  L  T  P  L
F  O  K  W  L  F  J  N  Q  B  Q  P  Z  C  F
K  A  T  M  B  A  P  T  I  M  A  A  H  S  B
Y  H  A  Y  X  W  S  P  N  K  F  E  H  Y  Z
L  T  E  S  A  T  S  R  I  L  C  Z  Y  L  Y
K  D  I  I  M  P  D  P  E  Y  H  N  M  Q  X
```

AGE
DIMINUENDO
EDREDONBLEU
HIGHCHAPARRAL
KHALID

KINANE
LADYCARLA
MATZ
MUCHOMUCHOMAN
PAYTON

ROBERTO
SHAAMIT
THISTLECRACK

# HORSE RACING WORDSEARCH

```
J  R  E  Q  T  L  M  C  C  F  K  E  W  H  F
Z  Y  P  N  H  C  G  J  X  N  P  B  I  E  W
P  X  H  Z  X  I  W  L  C  W  A  V  Y  N  Q
I  H  U  R  R  I  C  A  N  E  F  L  Y  N  I
N  B  I  R  R  E  G  C  E  K  G  O  N  Y  W
E  E  L  H  S  A  R  F  A  S  S  A  S  H  U
A  Y  L  L  C  N  S  F  M  R  J  F  R  U  H
U  V  G  E  S  R  E  V  I  R  D  L  O  G  S
D  R  O  F  E  R  E  H  D  H  P  I  N  H  I
E  T  I  M  M  U  S  H  T  R  A  E  E  E  P
R  E  V  E  T  I  U  T  C  H  E  V  I  S  A
E  N  S  I  R  P  E  T  E  R  L  E  L  Y  G
H  K  B  C  D  W  W  P  G  Z  L  W  L  Z  V
X  W  U  K  K  S  J  V  V  Z  C  B  P  C  T
V  A  B  O  W  I  W  F  R  C  C  L  N  J  L
```

| | | |
|---|---|---|
| CHERCHI | HEREFORD | SIRPETERLELY |
| EARTHSUMMIT | HURRICANEFLY | TIUTCHEV |
| GOLDRIVER | ONEILL | |
| GRAGE | PINEAU DE RE | |
| HENNYHUGHES | SASSAFRAS | |

# HORSE RACING WORDSEARCH

```
J  T  O  B  C  S  M  O  N  S  I  G  N  O  R
X  Y  M  A  I  H  G  U  H  C  M  G  H  K  T
I  O  K  L  A  D  A  F  G  G  G  Y  M  X  M
G  E  N  O  L  L  I  M  U  O  S  V  S  D  S
C  F  F  J  T  K  F  N  P  Y  U  W  R  T  A
V  V  G  L  A  V  A  N  D  I  N  S  H  M  N
G  B  G  R  H  I  Y  E  L  W  O  R  C  G  D
C  X  M  A  H  G  N  I  T  T  O  N  M  O  E
M  Y  Q  Q  E  B  U  V  E  U  R  D  A  I  R
S  R  A  M  N  F  S  W  I  N  B  U  R  N  S
K  T  K  A  U  T  O  S  T  A  R  E  X  G  A
Z  Y  B  R  E  H  T  E  W  C  O  B  H  Y  Z
A  D  Y  V  L  O  A  N  N  I  B  Y  N  O  T
F  D  H  J  A  C  C  A  T  D  R  F  G  T  X
U  P  C  X  L  A  S  T  Q  Z  K  A  D  U  I
```

| | | |
|---|---|---|
| BUVEURDAIR | LAVANDIN | SWINBURN |
| CHAMPION | MCHUGH | TONYBIN |
| CROWLEY | MONSIGNOR | WETHERBY |
| FADALKO | NOTTINGHAM | |
| GOING | SANDERS | |
| KAUTOSTAR | SOUMILLON | |

Puzzle #55

# HORSE RACING WORDSEARCH

```
S  I  M  P  L  Y  G  I  F  T  E  D  H  I  I
G  J  E  R  Q  D  K  D  P  F  E  N  E  E  U
X  H  U  U  E  W  N  G  B  C  O  I  A  M  A
M  Q  M  A  Z  P  G  O  I  O  N  H  Y  E  H
H  V  S  U  G  K  P  B  M  Q  P  T  X  I  H
M  A  I  L  T  N  I  A  S  O  E  T  J  O  L
S  J  X  O  D  U  B  A  C  I  L  L  A  T  N
C  A  X  F  D  L  U  N  D  I  E  E  Y  Z  B
H  S  K  G  T  X  G  O  W  W  D  K  F  O  O
O  T  N  R  K  I  J  L  R  K  J  N  O  S  D
O  E  L  Z  V  U  T  A  G  C  G  Y  A  O  U
L  Q  O  R  P  U  U  B  J  H  M  L  A  H  R
I  Y  S  N  E  D  R  A  G  D  N  A  L  O  R
N  Y  T  Z  U  S  B  I  R  E  M  E  S  Y  Z
G  D  T  H  G  I  N  K  W  O  N  S  F  K  P
```

BIREME                LOMOND              SAMCRO
DOYLE                 LUNDIE              SCHOOLING
DUBACILLA             ROLANDGARDENS       SIMPLYGIFTED
HANDICAPPER           ROOKE               SNOWKNIGHT
LABAIK                SAINTLIAM

# HORSE RACING WORDSEARCH

```
F  B  B  T  N  U  H  L  A  N  O  I  T  A  N
R  E  P  M  U  B  U  D  F  C  S  J  U  M  T
J  N  A  V  J  U  P  G  R  A  D  E  V  J  Q
J  T  A  G  J  S  O  L  L  L  I  P  H  D  Q
K  L  B  H  U  C  I  R  P  E  R  Y  A  N  N
A  E  C  S  B  P  Y  C  R  S  E  D  W  R  H
N  Y  C  N  T  D  P  L  N  O  C  X  X  R  G
W  P  H  X  Q  E  W  A  F  A  T  U  M  B  R
K  Z  U  S  A  I  N  T  M  A  R  T  I  N  H
Q  Y  R  N  W  D  Q  V  H  N  O  F  Q  K  G
J  T  C  A  F  N  W  O  N  K  U  Y  M  Z  Y
B  V  H  Z  O  T  P  G  D  C  T  W  C  D  S
G  B  I  Y  B  O  O  N  B  F  E  K  E  A  E
Y  A  L  V  A  G  U  E  L  Y  N  O  B  L  E
X  I  L  G  N  I  N  R  O  M  Y  W  O  N  S
```

| | | |
|---|---|---|
| BENTLEY | KNOWNFACT | SNOWYMORNING |
| BUMPER | MUTAFAWEQ | UPGRADE |
| CHURCHILL | NATIONAL HUNT | VAGUELYNOBLE |
| DIRECTROUTE | RYAN | |
| FRANCIS | SAINTMARTIN | |

# HORSE RACING WORDSEARCH

```
T  C  Y  M  J  C  E  M  W  I  U  F  R  E  L
E  W  L  T  A  M  V  E  I  R  O  E  G  I  A
E  F  C  N  N  H  A  M  G  R  H  K  Q  V  D
O  J  K  A  D  C  N  P  N  D  H  E  K  L  V
N  Z  M  G  R  O  S  E  A  E  H  E  E  R  V
E  M  Z  P  N  R  J  R  T  H  Z  B  N  E  Z
F  I  T  O  O  B  O  Y  R  L  A  M  I  D  R
O  D  J  O  L  I  Z  L  P  U  E  F  R  M  A
R  W  L  Y  G  E  I  P  L  U  H  H  Y  A  A
A  A  A  A  O  R  H  E  D  H  Y  O  C  R  K
R  Y  O  W  N  E  A  C  S  C  O  X  V  A  V
T  L  R  L  C  O  B  C  I  T  P  U  K  U  F
H  A  D  V  D  X  D  Y  S  M  K  Q  S  D  O
U  D  A  V  N  S  S  C  Y  E  R  E  B  E  J
R  Y  B  X  K  H  E  M  M  N  L  G  T  R  Q
```

| | | |
|---|---|---|
| CARROLLHOUSE | EVANS | MIDWAYLADY |
| CHELTENHAM | KENIRY | ONEFORARTHUR |
| CORBIERE | LESCARGOT | REDMARAUDER |
| COX | MCDONALD | |
| EMPERY | MICHELOZZO | |

# HORSE RACING WORDSEARCH

```
A  H  H  K  K  R  O  M  A  N  Y  K  I  N  G
T  Q  I  D  J  C  P  C  X  J  O  K  B  A  S
C  R  V  G  O  J  U  H  E  Z  M  C  R  R  N
B  C  W  V  H  O  H  B  I  F  H  G  R  B  O
W  I  Q  A  N  T  W  H  R  L  O  O  I  M  W
B  A  L  L  Y  M  O  S  S  E  D  Q  P  H  B
T  H  V  A  V  A  B  P  N  P  T  R  P  N  R
T  O  B  B  A  N  O  T  W  E  N  T  A  H  I
Z  Q  E  W  R  U  Q  I  W  F  H  G  U  K  D
G  W  D  P  V  E  L  L  I  O  T  T  C  L  E
B  P  G  I  O  X  N  W  I  S  E  D  A  N  C
Q  W  Q  G  N  H  A  R  G  W  K  O  N  H  Q
P  U  O  Q  F  X  D  U  U  N  L  S  U  R  W
A  X  J  M  N  K  E  U  T  T  O  C  R  E  N
J  R  Y  K  R  M  C  F  T  G  J  Q  I  S  U
```

ATHENSWOOD
BALLYMOSS
CLUTTERBUCK
ELLIOTT
HIGHTOP

NEWTON ABBOT
PHILDRAKE
ROMANYKING
SNOWBRIDE
TUDHOPE

TURNER
WISEDAN

# HORSE RACING WORDSEARCH

```
K G U N N E R W E L B U R N Q
D S S E N T I W T N E L I S N
M D D U R R E G N I B R A H D
T R A O U D D U E K K Z P O O
M A G N A G R E C I A K H A O
J N F O R G E T T H E P A S T
O K C K L Q Y J U X P P P K U
S I X Q K F T J F I S P V L U
Y M P P D N A B E S O N T K E
N O S N I B O R G E M C V K Z
G A L I L E O G O L D I W G H
W A E P Q G P P G N O V I C E
W S A J A C P D X E W O U I N
L K Y U P I A L D A N I T I G
R I Y A F U J O C M S V A I A
```

ALDANITI
DURR
EPSOM DOWNS
FORGETTHEPAST
GALILEOGOLD

GUNNERWELBURN
HARBINGER
JEAN
MAGNAGRECIA
NOSEBAND

NOVICE
PIA
ROBINSON
SILENTWITNESS

# HORSE RACING WORDSEARCH

```
T  S  Y  I  E  G  K  P  J  N  N  S  I  V  W
L  C  P  K  R  J  Y  Y  L  B  N  J  Z  A  M
R  O  B  Z  Z  T  K  U  B  T  N  T  B  K  C
C  T  F  H  N  A  I  X  R  H  R  U  V  X  A
F  T  Q  T  S  A  U  U  P  M  E  M  V  T  N
V  V  O  D  L  I  F  G  D  M  M  L  X  I  A
Z  K  O  D  S  B  N  Y  Y  N  I  T  Z  L  L
K  V  W  B  E  S  E  I  E  O  O  B  H  E  L
G  Y  B  Y  N  I  T  A  F  K  L  C  C  N  Y
E  U  R  Q  R  X  T  T  T  O  R  C  N  G  H
O  M  E  R  N  Y  Z  N  O  T  T  A  I  T  S
B  K  Z  W  E  X  P  A  U  G  H  O  T  H  C
E  N  D  V  Y  G  S  R  H  A  G  A  H  S  O
G  T  G  S  K  S  G  R  I  M  E  I  T  P  L
L  J  K  V  G  H  S  F  O  H  G  Y  P  E  D
```

| | | |
|---|---|---|
| AUNTIEDOT | HICLOY | PIGGOTT |
| BEATTHAT | LENGTH | SCOTT |
| CONDUIT | MCANALLY | STARKEY |
| GERRY | PHOTO FINISH | |

Puzzle #61

# HORSE RACING WORDSEARCH

```
V  X  X  E  N  T  R  A  L  S  T  O  N  H  N
G  C  X  E  I  E  F  U  S  Y  Q  I  O  B  I
W  G  O  G  M  T  D  E  G  M  Z  G  Z  F  H
W  Z  K  S  Q  T  E  I  I  N  Y  X  A  P  Y
Z  E  U  E  T  J  E  U  A  H  I  M  Y  V  A
F  Q  S  L  C  E  N  G  G  M  C  T  Y  M  M
Q  O  O  T  K  V  L  O  R  N  H  L  E  W  Z
V  S  U  E  T  J  B  L  S  O  O  Q  L  E  B
C  N  U  N  Y  I  U  R  O  R  F  T  Y  E  M
Y  R  O  V  D  Y  P  S  E  Q  A  T  J  R  W
F  O  N  O  T  N  U  A  T  S  F  E  N  I  V
O  X  F  E  P  Y  T  K  C  A  L  B  P  O  G
C  J  L  L  X  M  P  Z  L  U  W  I  Y  B  D
A  N  W  N  V  S  Z  Y  M  I  G  A  N  C  F
V  W  R  N  T  E  L  M  A  C  K  A  Y  O  M
```

| | | |
|---|---|---|
| BLACK TYPE | MACKAY | TONGUE TIE |
| BRESLIN | MAIDEN | WELLCHIEF |
| COSTELLO | MEETING | WESTTIP |
| DONTFORGETME | PEARSON | |
| FOUND | RALSTON | |
| JUSTAWAY | TAUNTON | |

# HORSE RACING WORDSEARCH

```
D  Q  X  R  B  D  S  O  X  U  N  G  G  A  H
A  S  Y  A  B  Y  N  U  S  R  Q  L  F  J  O
F  R  I  M  G  U  L  L  I  H  K  R  O  Y  I
H  J  Z  Z  S  P  I  L  L  I  H  P  J  J  B
S  S  A  A  I  L  V  C  V  V  L  Z  Y  Q  Y
J  N  D  N  L  N  Y  R  K  B  P  B  E  I  E
O  O  E  N  T  F  G  S  H  O  E  M  A  R  K
H  C  E  K  A  T  R  E  M  E  R  B  M  A  C
N  S  C  R  C  S  O  O  U  C  M  T  U  L  T
S  R  O  O  D  I  D  C  E  R  D  M  R  D  T
T  Y  M  L  B  C  P  N  H  U  O  E  P  M  H
O  M  Y  T  E  I  V  M  A  C  E  P  Z  F  H
N  P  L  U  Z  M  R  C  I  L  T  F  E  F  U
K  C  E  G  K  H  I  P  L  L  S  I  Z  Z  Y
L  Z  M  V  T  G  U  A  O  I  S  I  H  M  F
```

| | | |
|---|---|---|
| ARZAL | JOHNSTON | SLIMPICKENS |
| BUICK | PHILLIPS | SOLEMIA |
| CAMBREMER | RIBOCCO | SUNYBAY |
| HITCHCOTT | SHOEMARK | YORKHILL |
| ISLANDSANDS | SIZINGEUROPE | |

# HORSE RACING WORDSEARCH

```
Y  B  N  O  I  T  I  N  O  M  E  R  P  K  O
M  R  U  O  T  U  A  V  B  W  A  U  H  A  Z
L  S  U  L  L  I  V  A  N  E  U  W  B  O  Q
C  Z  H  B  P  Y  A  D  Z  P  M  N  A  X  M
Q  Q  Y  N  R  A  M  E  T  T  E  I  L  U  J
R  B  J  D  O  E  N  A  H  H  A  Q  E  V  A
D  I  O  O  N  E  T  M  G  O  J  Z  W  N  B
O  N  I  T  S  U  B  T  S  Y  W  F  R  C  V
V  A  I  Q  R  M  R  N  A  V  L  D  C  N  R
A  R  K  W  P  A  K  G  G  D  C  O  F  H  L
N  E  U  C  E  T  D  R  A  B  R  E  P  E  R
Q  E  I  V  R  U  Q  K  C  A  E  O  O  D  T
W  N  F  G  T  G  L  F  E  K  C  O  L  F  V
W  F  E  M  H  Z  D  B  C  F  X  W  V  X  L
H  M  O  S  C  O  W  F  L  Y  E  R  U  V  N
```

BINAREE            LORDATTERBURY      PREMONITION
BLUEWIND           MOSCOWFLYER        SAGACE
BUSTINO            NAP                SULLIVAN
GRUNDY             PERTH              VAUTOUR
JULIETTEMARNY      POLYGAMY

# HORSE RACING WORDSEARCH

```
B  O  C  E  P  Z  V  W  E  L  C  H  I  K  I
C  B  E  A  Z  L  H  U  S  E  O  P  G  Z  J
T  I  F  G  U  N  S  R  M  R  H  G  X  S  B
M  H  C  O  T  T  J  J  D  W  S  K  L  I  S
T  R  G  M  M  K  D  A  R  I  S  P  A  E  G
W  K  V  I  O  P  G  R  O  B  E  R  T  S  E
Y  P  D  O  N  C  O  S  S  A  C  K  B  L  R
Y  P  E  H  T  K  P  C  G  L  W  N  C  P  X
B  R  V  L  J  B  T  H  L  N  E  D  R  N  L
Z  T  R  T  E  F  S  O  C  A  L  X  O  F  E
F  D  R  S  U  I  C  U  L  T  O  F  A  A  Q
I  Z  U  P  D  D  D  D  G  E  A  N  F  H  A
F  G  A  V  N  N  X  G  R  S  M  R  O  Z  X
P  Z  Y  G  H  T  X  F  K  K  N  A  C  N  J
H  B  E  H  J  T  N  S  I  N  T  A  C  S  G
```

| | | |
|---|---|---|
| CAMELOTKNIGHT | MRSNUGFIT | SCRATCH |
| DONCOSSACK | NONOALCO | SILKS |
| ENCKE | PELEID | |
| LUCIUS | ROBERTS | |
| MONTJEU | SAKHEE | |

# HORSE RACING WORDSEARCH

```
O  H  J  W  N  I  L  H  G  U  A  L  C  M  P
H  E  A  B  A  N  D  O  N  E  D  R  R  Z  P
J  K  Y  R  G  I  E  B  A  A  H  R  E  S  C
X  E  F  L  A  T  R  A  C  I  N  G  P  E  D
Z  Q  V  R  B  W  N  Z  K  X  R  K  E  C  H
R  F  D  M  W  E  S  O  K  J  O  E  L  R  Z
K  A  F  O  A  I  V  E  S  S  O  M  L  E  D
V  B  I  N  O  T  N  A  C  N  I  W  O  T  Y
K  I  N  O  S  D  R  A  H  C  I  R  C  O  K
C  B  Q  M  K  R  D  V  Z  G  H  L  U  E  W
Z  S  K  C  U  B  G  I  B  T  S  U  W  B  F
U  C  V  N  C  G  P  G  Y  G  G  H  G  A  X
J  W  D  J  W  A  Q  V  A  E  W  L  H  G  R
I  G  T  U  A  I  Q  K  Q  T  B  N  F  S  E
C  L  I  G  R  D  D  V  S  G  U  H  C  F  G
```

| | | |
|---|---|---|
| ABANDONED | ESWARAH | SECRETO |
| BIGBUCKS | FLAT RACING | TAGG |
| CREPELLO | MCLAUGHLIN | WINCANTON |
| DELMOSS | RAWLINSON | |
| ERHAAB | RICHARDSON | |

Puzzle #66

# HORSE RACING WORDSEARCH

```
S L I W M T E N A M R E Y L G
A I T H E M I N S T R E L Y F
G S B E X Z S E A B I R D I I
A N O P C Q Y H X D F C U R R
N Q B D A B B G F S A X E U S
B E S E Z P A C D Q L P N L T
H A W D N E I R F E L B A H G
X R O C G N R L A V O Z R P O
P I R F A N Y A L C N J L C L
D W T L M S K T M O O X O V D
B K H A D V T M H U N U S C L
J Y I P S F J L S E A W D P K
D G P L E T C H E R D S N A S
Z Y I D R J Z P T M O I C V Z
G K M G M F J C I K H C P A Y
```

ABLEFRIEND
BARACOUDA
BENNYTHEDIP
BOBSWORTH
FALLON

FIRSTGOLD
NEWCASTLE
PAPILLON
PLETCHER
SAUMAREZ

SEABIRDII
THEMINSTREL
YERMAN

# HORSE RACING WORDSEARCH

```
U  E  J  U  I  K  S  M  C  E  B  T  U  C  L
U  I  P  W  I  H  O  J  S  R  I  D  X  T  H
U  V  O  J  H  V  P  M  L  D  X  L  F  H  R
S  R  Q  F  Y  N  O  O  T  K  B  V  V  Y  E
R  V  M  A  H  G  N  I  T  T  I  H  W  E  A
D  U  H  I  S  B  Q  L  J  K  M  C  B  N  A
T  G  I  G  E  G  F  Y  A  J  E  Y  S  E  U
H  L  T  N  X  V  L  N  A  S  N  A  S  W  U
Z  Y  O  H  X  L  E  H  Z  F  O  H  W  W  E
J  G  L  C  D  V  H  R  Z  R  R  L  J  I  G
D  A  R  L  E  Y  R  E  T  S  A  M  B  R  N
X  P  E  A  I  T  L  L  E  W  H  T  U  O  S
E  B  J  R  R  F  I  Q  V  T  O  R  O  D  G
D  P  N  K  F  M  O  N  H  G  L  S  K  O  G
M  C  L  O  L  R  A  C  U  S  C  Y  Y  L  H
```

| | | |
|---|---|---|
| CARLO | MASTERY | UNITE |
| CLARK | MENORAH | WHITTINGHAM |
| COLT | SANSAN | |
| DARLEY | SOUTHWELL | |
| FILLY | TREVE | |

# HORSE RACING WORDSEARCH

```
J  B  T  S  E  U  Q  W  O  B  N  I  A  R  P
Y  H  Z  Z  Q  O  F  N  A  E  O  X  E  E  I
F  A  D  R  O  Y  A  L  P  A  L  A  C  E  K
A  Z  N  I  P  K  N  C  B  O  C  B  G  U  H
T  E  K  R  A  M  W  E  N  G  P  D  E  L  A
P  V  E  E  R  H  T  R  O  F  A  E  T  E  C
X  I  H  U  N  A  G  N  D  J  C  V  Y  F  E
U  N  L  P  I  I  V  A  A  J  K  T  S  F  F
L  C  D  R  L  H  W  O  R  G  Q  C  O  R  D
M  E  M  R  F  R  I  S  K  A  A  O  M  E  R
Y  N  O  O  C  H  K  W  M  I  N  N  Q  N  B
I  T  S  I  E  G  D  L  A  W  D  A  A  C  L
N  M  R  E  V  F  Q  T  T  P  M  L  E  H  M
D  F  V  W  H  U  E  T  A  T  D  G  O  L  Q
U  Z  W  W  O  L  F  G  N  O  R  T  S  G  D
```

FFRENCH            NEWMARKET          TATE
GOLDIKOVA          PINZA              TEAFORTHREE
HANAGAN            RAINBOWQUEST       VINCENT
LEANARAGHAIDH      ROYALPALACE        WALDGEIST
MRFRISK            STRONGFLOW

# HORSE RACING WORDSEARCH
## Puzzle # 1

# HORSE RACING WORDSEARCH
## Puzzle # 2

```
        S G
        D I               N
R E T S R O F U S         I
        M   O N           J
S M P A R T H I A L O     I
T R A     Y   L   C M     N
A Y E L R E V E B L   Y I S
T   K B         V   E N S K
E     N           E N   A Y
O D O N C A S T E R L   A M
F           B S I R I V O R
P                         Y
L R O Y A L A T H E L E T E
A
Y
```

```
  R A I L L I N K
        I U
    A     G   P
      E   H D L E I F O H C S
      H T
      S   F                 P
      H O       I           L
      I           S         U
      F     B       H C     M
R E H P O T S I R H C E     P
    G I N E V R A     C R   T
K C I R T A P N W O D I     O
  B E E F O R S A L M O N
                      E
              K R O Y
```

# HORSE RACING WORDSEARCH
## Puzzle # 3

# HORSE RACING WORDSEARCH
## Puzzle # 4

```
          S U B O T I C A T
    E                       H
      L       P O H S I B   E
D       I                   P
  N       Y N     E         I
    E I     D E C U R T I S L
      B F M   N V     O     G
    R   O K A   A U     O   A
      I C   T A N   D J   M R
      M I   E M N   O       L
      E N   S   I H L       I
        L O   U   N   L     C
          L F   F   G   A
            A   E         H
C A M I C I     Z   R
```

```
              S
B               S           N
  I     S         A         E
    N T H G I N K     B     V
      O     G         R A   E
        C       I       E   E   R
          U       R   N       S S
      D         L G C B D     H A
        R         A A   A A   Y
O         I       L R       L M M D
    K       B     I S       L D I
      E       A L O         A E
        M         E N       N B
      O A T H O S
        K
```

# HORSE RACING WORDSEARCH
## Puzzle # 5

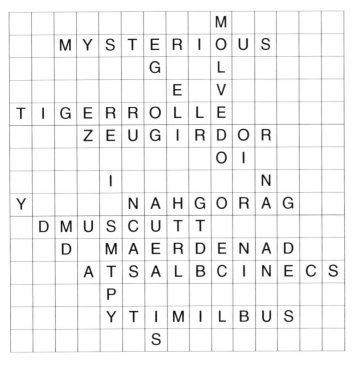

```
                    M
    M Y S T E R I O U S
            G       L
              E     V
T I G E R R O L L E
    Z E U G I R D O R
              O   I
          I           N
Y           N A H G O R A G
    D M U S C U T T
      D   M A E R D E N A D
        A T S A L B C I N E C S
          P
          Y T I M I L B U S
            S
```

# HORSE RACING WORDSEARCH
## Puzzle # 6

```
G                 N O T H S A
    H
N     I   G S O Y O U T H I N K
F   I     A N
    A L   N I
    D N R E I D R O Y L P M O C
    T O N U     N
M   R N I C       I
    O L E T N A C   M
      N   F P G R A T T I R G
        M   F U     N
          O   A S     E
            M   B H   G
              E       I N I M A J
                      T   E
```

# HORSE RACING WORDSEARCH
## Puzzle # 7

```
    H C R I B R E V L I S
    N C Y T I D I P E R T N I
  Q W U T
  C A O R I
    L R L S D
      I B D A N         M
        F A U T E       Y
  B       T T L R P     W
    E         O S   E O I
    E E R A D N I B B L
Y         C               L
  A   M A H X E H       A
    R E C N A D E V A U S
      D
```

# HORSE RACING WORDSEARCH
## Puzzle # 8

```
    T A Q U I N D U S E U I L
  L A L E X A N D R O V A
G I O V A N N I E
  N R   T         L Z
  G E   A           A T
  F   K   T           R A
  I     A   A           T
  E D       M   N       A S
  L K N       E   I     P     U
  D   R A         C   A O       A
    R   A U         A   N
      A   T Q         P W O
        S     S R         O
U A E B S A R U A L       O
          M     M     D
```

## HORSE RACING WORDSEARCH
### Puzzle # 9

```
N . . M A R K E T R A S E N
. O . E . W . . . . . . . E
B . N E N I G A M I . . . B
E . R . R I . . H . . . . B
. E A F U . H Z . S . . . I
. . R V F N . C A . . . . O
. . G E O N . . N B T . . L
. . . Y I K E . . A A . . O
. . . . E N I R S L R . .
. . . . N C T S M A A .
. . . . . O A L A . B .
. . . . . C . . O . . .
. Y L D N E I R F R E S U
```

## HORSE RACING WORDSEARCH
### Puzzle # 10

```
. E T E L H T A L A Y O R .
. . T . . . O N I Z . . .
. . . U . . . . . . . . .
. C D . L K . . . . . . .
N B A A . T C . . . L . .
E O R T P . H I . . A . .
R S E T T . G T . . D . .
. E R A E O P I S A Y H A K
. H E S R O U N G . . . .
. K D L I F D D N . . . .
. O N E C . E I I . . .
. O A Y K . L M O . . .
. L S . . L . G . . .
A N O L A Z R A B . . U .
. G R E A T R E X . P .
```

## HORSE RACING WORDSEARCH
### Puzzle # 11

```
U . N O I L L A T S . . .
N . . . M . L . . . . .
D . . E D R A C E C A R
E . . C . R . H . . . .
S S . A N . S W S . . .
C M . R . I . H . N . .
E I O L . R . I T . O .
A T . R I . I . P P . A . O
U H . S . . R . C . . B . M
X I . L T . . O A I . .
. E . E O . Z I T . .
. S . . N . . T C C . .
. B L A C K C A V I A R R
. . . . . . . . . A A
. . . . . . . . . G
```

## HORSE RACING WORDSEARCH
### Puzzle # 12

```
. H . R T S . . . . . . .
. D A . T E R R . . . . .
R N . R P S T A E . . . .
S A M U D D I E N H M . .
. W D O O N R H B I . M .
. E N O B A I S S W . A .
. R E I R D L D D G . . T
. E T P C R S D L N . . S
. T S U R A E E O I . .
. S O D O W R N G K . .
. E L E F E P . . .
. C E K T M . . .
. W R C B O . . .
. O A A O H . . .
N E V E R T O O L A T E H Y
```

# HORSE RACING WORDSEARCH
## Puzzle # 13

|   |   |   |   |   | D |   |   |   |   |
|---|---|---|---|---|---|---|---|---|---|
|   | S |   |   |   |   | I |   |   |   |
| T | N | I | A | P | E | S | A | E | R | G |
|   | L |   | V |   |   |   | R |   |   |
|   | O |   |   | E | A |   |   |   |   |
| G | N | I | R | G | N | I | T | T | E | B |
|   | G |   |   |   | A | N |   |   |   |
|   | R |   |   | P |   | E |   |   |   |
| A | S | U | G | A | R | U |   | B |   |
|   | M | N |   | Y | C | R | E | P | R | I | S |
|   | U |   | Y | O | B | N | O | T | G | N | I | D | D | A |
|   | L |   |   |   | A |   |   |   |   |
|   | L | D | A | L | E | N | O | T | S | E | M | I | L |
|   | E |   |   |   |   |   |   |   |   |
|   | N |   | E | C | N | A | W | O | L | L | A |

# HORSE RACING WORDSEARCH
## Puzzle # 14

| T | H | E | T | S | A | R | E | V | I | C | H |   | A |   |
|---|---|---|---|---|---|---|---|---|---|---|---|---|---|---|
|   |   |   |   |   | M |   |   |   |   |   |   |   | U | W |
|   |   |   |   |   | U |   |   |   |   |   |   |   | T | O |
|   |   | K | R | I | S | K | I | N |   |   |   |   | H | R |
|   | N |   |   |   |   | D | C |   |   |   |   |   | O | K |
|   | O |   |   |   |   |   | O | H |   |   |   |   | R | F |
|   | S | S | O | M | Y | L | E | M | S | A |   |   | I | O |
|   | N | H | M | M | C |   |   |   |   |   | S | Z | R |
|   | O |   | G | A | C | G |   |   |   |   |   | E | C |
|   | W |   |   | A | I | C | A | S | B | B | O | D | E |
|   | F |   |   |   | T | L | A | U |   |   |   |   |
|   | A |   |   |   | R | L | R | G |   |   |   |   |
|   | I |   |   |   |   | U | I | T | H |   |   |   |
|   | R |   |   |   |   | M | W | H | E |   |   |   |
|   | Y |   |   |   |   |   |   |   |   |   | Y | Y |

# HORSE RACING WORDSEARCH
## Puzzle # 15

| E | V | A | R | B | G | N | I | C | N | A | D |   | T |
|---|---|---|---|---|---|---|---|---|---|---|---|---|---|
|   | T |   | H | H | U | R | D | L | E | S |   | R |
|   | A |   |   | A | U |   |   |   |   |   | E |
|   | G |   |   | C | R | N |   |   |   |   | M |
| N | H |   |   | O |   | D | T |   |   | P | T |
|   | R | Y |   | M | I |   | O | I |   | O | H |
|   | O | O | D | M |   | S |   | U | N | L | E |
|   | O | B | H | A |   |   | S |   | T | G | I | T |
|   | D | A |   | N | L |   |   | I |   | L | D | N | H |
|   | A | R |   | C | E | I |   |   | L |   | O | O | I |
|   |   | T |   | H |   | D | K |   |   | E |   | O | N |
|   |   | O |   | E |   |   | L | S |   |   | H |   | K |
|   |   | N |   | R |   |   |   | O | T |   |   | E |
|   |   |   | U |   |   |   |   | G | E |   | R |
|   | D | L | O | G | N | I | E | H | R |   | J |

# HORSE RACING WORDSEARCH
## Puzzle # 16

| M |   |   | R | E | N | I | D | L | O | O | C |   |   |
|---|---|---|---|---|---|---|---|---|---|---|---|---|---|
| Y |   |   |   | O |   | O |   | O | L |   |   |   |
| W | E |   |   |   | Y |   | T |   | B | I |   |   |
| A | A | N |   |   |   | A |   | H |   | O | M |   |
| Y | L | I |   |   |   | L |   | G |   | B | W |   |
| D | T |   | L | V |   | E |   | M |   | I |   | M | E |
| E | I |   | E | I |   | S |   | A |   | R |   | A | N |
| S | R |   | D | D |   | S |   | I |   | B |   |
| O | O | N | E | M | O | N | E | F | E |   | L |
| L | L |   | A |   |   | A | V |   | L |   |
| Z |   | M |   |   | M | O |   | B |   |
| E |   |   | N |   |   | L | Y | O | N | S |
| N |   | R | A | E | B | W | A | R | T | S | N |
|   |   | D |   |   |   |   |   |   |   |   |   |

# HORSE RACING WORDSEARCH
## Puzzle # 17

|   | S | Y | E | L | I | A | B | R | E | T | S | I | M |
|---|---|---|---|---|---|---|---|---|---|---|---|---|---|
| N |   |   | N |   |   | E |   |   |   |   |   |   |   |
| A |   | N |   | I |   | R |   | N |   |   |   |   |   |
| T | R |   | E |   | L |   | A |   | A |   | F |   |   |
| I | E |   |   | E |   | M | C |   | R | U |   |   |   |
| V | D |   | M |   | H |   | R | E |   | R |   |   |   |
| E | R |   |   | A |   | G |   | E | V | L | I |   |   |
| R | U |   | D |   |   | N |   | U |   | F | O |   | K |
| I | M |   |   | E |   |   | G |   | A |   | N | I |   |
| V |   |   |   | R |   |   | A |   | F | G | U | D |   |
| E | F | A | I | R | S | A | L | I | N | I | A |   | D |
| R |   |   | C | H | A | R | L | O | T | T | O | W | N |
|   |   |   | P | H | I | L |   | C |   |   |   |   |   |
|   |   |   |   |   |   |   |   | E |   |   |   |   |   |
| L | A | E | P | P | A | R | A | T | S | D |   |   |   |

# HORSE RACING WORDSEARCH
## Puzzle # 18

|   | N | L |   | Y |   |   | M | U | I | D | I | S | P |
|---|---|---|---|---|---|---|---|---|---|---|---|---|---|
|   | W | E |   | T |   |   |   |   |   |   |   |   |   |
| N |   | O |   | B | E | T |   |   |   |   |   |   |   |
| T | O | E |   | B | D | E | N | I |   |   |   |   |   |
| H | S | S | P | R | L | T | R | A | R |   |   |   |   |
| R | E |   | W | I |   | A | H | Y | L | R |   |   |   |
| E | A |   |   | A | P | S | K | G | E | Y | A |   |   |
| E | T |   |   | N | D | M |   | E | U | N | N | G |   |
| T | H |   |   | B |   | U |   |   | N | O | K | O |   |
| R | E | Y |   | O |   | S |   |   |   | E | R | C | B |
| O | S |   | R | R |   | S | E |   |   |   | Y | B | O | E |
| I | T |   |   | U |   | E |   | C |   |   |   |   | C |
| K | A |   |   | B | N |   |   | N |   |   |   |   |   |
| A | R |   |   |   | X |   | D | E | E | D | A | H | S |
| S | S |   |   |   | E |   |   |   | F |   |   |   |   |

# HORSE RACING WORDSEARCH
## Puzzle # 19

| N | M |   |   | S |   |   |   |   |   |   |   |
|---|---|---|---|---|---|---|---|---|---|---|---|
|   | R | A | A |   | R |   |   |   |   |   |   |
|   |   | U | O | L |   | E |   |   |   |   | T |
|   | K |   | T | R | L |   | I |   |   |   | H |
|   |   | C | N | E | I | E |   | L |   |   | R |
| S |   | N | T | O | A | R | V | Z |   | L | E |
|   | H |   | I | N | D | L | S | E | F |   | I | E |
|   | E |   | E | E | D | O | B | N | R |   | V | T |
|   |   | P | O | L | L | A | G | O | T | A | O |
|   |   | H |   | S | A | P |   | B | U | N | O |
|   |   |   | E |   | U | T |   |   | R | C | N |
|   |   |   |   | R |   | N |   |   |   | E | E |
|   |   |   |   | D |   | I |   |   |   |   |   |
|   |   |   |   |   |   | R | I | P | O | N |   |

# HORSE RACING WORDSEARCH
## Puzzle # 20

|   | D | R | A | O | B | A | J | I | U | O |   |   |   |
|---|---|---|---|---|---|---|---|---|---|---|---|---|---|
|   |   | I | V | A | N | J | I | C | A |   |   |   |   |
|   |   |   |   |   | E |   |   |   |   |   |   |   |   |
| E | E | R | A | C | I | N | G | D | E | M | O | N |   |
| R | L | S |   |   |   | S |   |   |   |   |   |   |   |
| G | E | D | I | B |   |   |   | O |   |   |   |   |   |
| W | N | D | I | X | O |   |   |   | G |   |   |   |   |
|   | A | O | U | R | T | B |   |   |   |   |   |   |   |
| C | R | R | L | A | B | I | B |   |   |   |   |   |   |
| U | O | W | A | E | E | E | Y |   |   |   |   |   |   |
| M | U | I | L | N | H | S | J |   |   |   |   |   |   |
| A | B | C | L | I | T | I | O |   |   |   |   |   |   |
| N | L | K | A | P | N | C |   |   |   |   |   |   |   |
| C | H | E | E | K | P | I | E | C | E | S | O | O |   |
| T | O | O | F | F | O | N | R | U | T | N |   |   |   |

# HORSE RACING WORDSEARCH
## Puzzle # 21

| | | | | | | H | | | | | | | |
|---|---|---|---|---|---|---|---|---|---|---|---|---|---|
| P | O | N | T | E | F | R | A | C | T | | | | M |
| | | | | | D | | | N | | | | | A |
| | | | | E | D | | | | S | | | | S |
| | C | B | A | K | E | R | A | | | E | | P | K |
| C | L | A | N | R | O | Y | A | L | | | N | R | E |
| A | | A | L | B | O | U | M | P | H | O | T | O | D |
| S | | | | | R | | | | | | | V | M |
| S | G | | | | | | B | | | | | O | A |
| I | | N | | | | | | Y | | | | K | R |
| C | | | | I | | | | | E | | | E | V |
| E | N | E | L | L | Y | G | D | R | O | L | | | E |
| | | | | L | | | | | | H | | | L |
| | | | | U | | | | | | | | S | |
| | | | | P | | | | | | | | | A |

# HORSE RACING WORDSEARCH
## Puzzle # 22

| | I | N | R | U | N | N | I | N | G | | | | |
|---|---|---|---|---|---|---|---|---|---|---|---|---|---|
| | | G | R | E | | | | | | | M | | |
| | | | H | E | V | | | | | | I | | |
| | | | O | G | E | | | | | | T | | |
| | | | S | A | R | | | K | C | E | N | | |
| T | | | | T | M | D | | | H | | | | |
| | H | | | | Z | E | S | | E | | | | |
| | | G | | Y | D | | A | I | I | L | | | |
| | | I | | E | R | O | P | L | L | | | | |
| | | | L | | V | O | S | P | L | G | | | |
| | | | | H | | L | L | L | E | O | N | | |
| | | | | T | E | X | E | T | E | R | | | I |
| | | | | R | | | K | | | K | | | |
| | | | | O | | | | C | | | | | |
| | | | | W | I | N | K | S | M | | | | |

# HORSE RACING WORDSEARCH
## Puzzle # 23

| | | | | T | | | | | | | | |
|---|---|---|---|---|---|---|---|---|---|---|---|---|
| | | | | O | | | | | | | Y | |
| | | | | | M | | | | | | O | |
| | | R | | P | | | N | | | S | U | |
| | | | O | | O | | | O | | H | N | |
| | I | R | I | S | S | G | I | F | T | B | E | G |
| | | | | Y | I | | U | | Y | | R | D |
| | | | | | F | V | | Y | | | G | R |
| E | A | N | A | I | D | N | I | | | T | A | I |
| L | | | M | | | | L | | | S | R | V |
| C | E | | | U | | | | A | T | | E | |
| I | | Y | | | R | | | | U | | R | Z |
| D | | | | | M | | | | D | Q | | A |
| E | | | | | | A | | | | | | |
| | | | | | | S | I | R | O | L | A | V |

# HORSE RACING WORDSEARCH
## Puzzle # 24

| | C | | | | P | R | A | H | S | O | S | H | O |
|---|---|---|---|---|---|---|---|---|---|---|---|---|---|
| | | L | | | | | | | | | | | |
| E | E | C | A | T | S | U | E | Y | D | R | A | H | |
| D | M | | | S | | | | | | | | | |
| | A | U | | E | S | I | R | H | G | I | H | | L |
| | G | N | L | A | K | I | Y | D | A | | | | A |
| | R | | C | P | | F | | | | C | | | N |
| | A | | I | S | | | I | | | H | | | K |
| | D | | N | U | | | E | | | E | | | A |
| | E | | G | C | | | | D | S | | | | N |
| | D | | I | R | R | | | T | | | | | R |
| | R | | L | A | I | | | E | | | | | U |
| | A | H | A | V | L | I | N | I | C | R | | | P |
| | C | | | E | | | | N | | | | | E |
| | E | | I | T | T | A | K | E | S | T | I | M | E |

# HORSE RACING WORDSEARCH
## Puzzle # 25

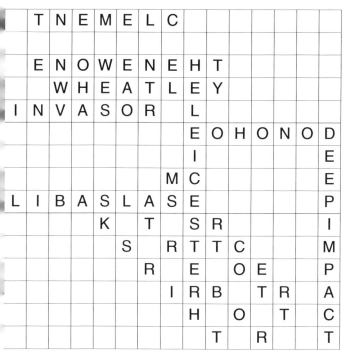

```
T N E M E L C
  E N O W E N E H T
    W H E A T L E Y
I N V A S O R         L
                E O H O N O D
                I             E
            M C               E
L I B A S L A S E             P
        K     T     S R       I
          S     R T C         M
            R     E O E       P
              I R B       T R A
              H     O       T C
                  T         R T
```

# HORSE RACING WORDSEARCH
## Puzzle # 26

```
              R             C
          O V E R T H E R O A D
              S E         I
              R D         T
E L A Y O R E S S E T L A
T T E N N E B Y       R
              R     P I
      R       U   U K C O D Y A H
        A     M E     O     N
          D     C I     F
            N     C H     I
            N     A T   T
Y A B L A D I T I A       T
              S     N M   E
                            P
```

# HORSE RACING WORDSEARCH
## Puzzle # 27

```
    P E S L I E R
M   S       S       R
I E   U       E         I
I   M   O M     N     S       S
N     I     R U     D         O
N         T   I E O E A       N
E           R K N T I M       O
H A R D I E A S E K B N       F
O       F O A L C N G A O O   L
M   N       W     S O C M D   O
A       U       N     O K     V M
      O       I       W L     E
        Y       N     A   O
          O       G   R       B
              D       D
```

# HORSE RACING WORDSEARCH
## Puzzle # 28

```
M R       D
U Q H   R     E
R U Y     E     B C
P I M       I   R   A         R
H N E         M E     P       O
Y N N V G L E N E A G L E S C
    R   L P   H Z R         N K
    E     O     E   P         O
    A     I P   U N           N
    S     N   E P   B         R
    O     C     L     I       U
    N     E     T     T       B
          L     T             Y
          E             I
          T             L
```

# HORSE RACING WORDSEARCH
## Puzzle # 29

```
    Y O B L L I H Y N N U S
      W A L S H
  M       I I
  B O U C H E R
        D     N O
        N G       A T
    N   E N         H T
      A   L I         P E
      G   L K           I D
      O   U L           P
D Y L A N T H O M A S     E
    E     I N T E R M E Z Z O
L I S T E D R A C E     I
      S L L O H C I N
                      A
```

# HORSE RACING WORDSEARCH
## Puzzle # 30

```
      N                   S
  N     P A R A D E R I N G U
F P S O     N               U
E E E I K Z E J             R
R H N C T N R E L K O       E
O C N C I O     K           M
A     U T E U D N         E
  V     G N K S E N       G
D     L   H A A R M E     L
  H     I   Q S M E A L   O
      F   S   U S P D H G R
      A   A   E I     L R Y
        A   D   S U     A U
          H       T P   B D
  K I C K I N G K I N G
```

# HORSE RACING WORDSEARCH
## Puzzle # 31

```
    D   I O M R U O P
      N       R O T A V I T O M
    H T I O R T E D
R     C   W
  O R A A   G   H
  M S E N O C N A I B O N I
  A   D M D R   I   L
  C S   N I R P   W   L
  K   R   I A Y P   O   S
  E     E   W L   A   L
  N       H   N C   N   B
  Z         T   W     W
  I           A   O     A
  E             M   R   D
                  B
```

# HORSE RACING WORDSEARCH
## Puzzle # 32

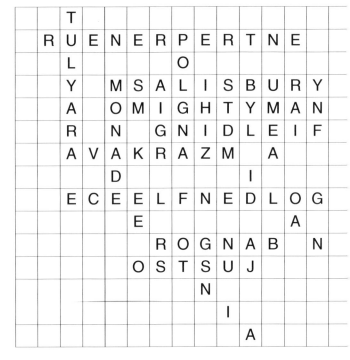

```
  T
R U E N E R P E R T N E
L       O
Y   M S A L I S B U R Y
A   O M I G H T Y M A N
R   N   G N I D L E I F
A V A K R A Z M   A
    D           I
E C E E L F N E D L O G
    E           A
        R O G N A B   N
      O S T S U J
        N
          I
          A
```

# HORSE RACING WORDSEARCH
## Puzzle # 33

| | L | | | | | | | | | L | | |
|---|---|---|---|---|---|---|---|---|---|---|---|---|
| K | T | G | L | | | N | | | | E | | |
| I | O | | O | E | S | | E | | | A | | |
| N | U | | D | W | R | | I | | | G | | |
| G | C | | D | O | T | E | | R | | U | | |
| S | H | | E | | L | N | D | | B | E | | |
| C | I | | R | | L | P | O | N | | O | | |
| O | N | | | Y | E | Y | E | H | F | U | | |
| T | G | K | | | K | H | K | I | | A | | |
| E | W | | A | C | U | R | R | A | N | N | | S |
| | O | | | T | | | | A | F | A | | |
| | O | | | R | | | B | | R | | | |
| | D | | | | A | | | | | F | | |
| | | | | | T | | | | | | | |

# HORSE RACING WORDSEARCH
## Puzzle # 34

| | | | | | | | M | | | | |
|---|---|---|---|---|---|---|---|---|---|---|---|
| | S | I | R | E | D | E | G | R | U | G | Y |
| S | M | | S | | | W | O | L | L | O | W |
| U | A | O | | D | | | R | | | | T |
| N | C | Y | | R | | S | E | A | G | R | A | M |
| | D | R | G | | O | | N | | | T |
| G | | U | E | L | | W | | N | | T |
| | O | | L | D | A | | G | A | | E |
| | | R | | A | K | R | U | N | N | E | R | R |
| | | M | | T | I | E | | I | | S |
| | | | L | | I | N | | | V | A |
| | | | E | | N | G | | O | L |
| S | U | N | N | Y | B | A | Y | | G | D | L |
| | P | E | D | D | L | E | R | S | C | R | O | S | S |
| N | W | O | R | C | E | L | P | I | R | T | | M |

# HORSE RACING WORDSEARCH
## Puzzle # 35

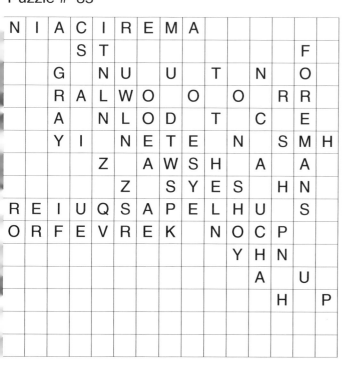

| N | I | A | C | I | R | E | M | A | | | |
|---|---|---|---|---|---|---|---|---|---|---|---|
| | | S | T | | | | | | | F |
| | G | | N | U | | U | | T | | N | O |
| | R | A | L | W | O | | O | | O | R | R |
| | A | | N | L | O | D | | T | | C | E |
| | Y | I | | N | E | T | E | | N | S | M | H |
| | | Z | | A | W | S | H | | A | A |
| | | Z | | S | Y | E | S | | H | N |
| R | E | I | U | Q | S | A | P | E | L | H | U | S |
| O | R | F | E | V | R | E | K | | N | O | C | P |
| | | | | | Y | H | N |
| | | | | A | U |
| | | | | H | P |

# HORSE RACING WORDSEARCH
## Puzzle # 36

| V | O | Y | P | O | R | U | S | T | E | D | E | S |
|---|---|---|---|---|---|---|---|---|---|---|---|---|
| | | S | | | Y | O | R | T |
| H | | I | | D | | E |
| U | | R | G | N | | B |
| G | | U | A | A | | O |
| H | | L | Z | | R | S |
| E | M | C | E | R | | P |
| E | R | O | C | N | E | S | A | R | O | R | U | A | E |
| D | H | F | H | N |
| Y | L | L | E | K | O | N | L | C |
| S | R | E | A | E |
| R | O | N | E | S | N | A | R | G | L | E | K | W | R |
| O | A |
| H | F |

# HORSE RACING WORDSEARCH
## Puzzle # 37

```
   D     S       T  O  L  E  M  A  C
      L     H        S
         R     A           O
   K        O     H        P
      O     W     R        E
Y  N  O  T     E  A     A        T
         L     H  K     S        N
            L     T  S     T     A
         D  R  A  B  N  E  I  R  A  M
               U        L  R     N
                  S        U  A     I
      Y  B  R  E  T  S  A  E     R  S
T  O  A  G  O  R  I  M  O  U  C
```

# HORSE RACING WORDSEARCH
## Puzzle # 38

```
   B        M
      E  T     A        D  N
         Z  R     N  O  T  R  O  N  X  O  F
S           G  A     D           A  L
   O              I     U     U        E  A
      M              B  T  G  R           H  N
         S           S  S  S  A  O
            O           E  L  L  R
               C           V  L  A  B
R              C           E  A  A  Y  U
   I                       I     N  E  T  O  T
      B              T           C  E  S  R  T
         E                    C        O  K
            R                       R     R  C
               O                       A     E  M
```

# HORSE RACING WORDSEARCH
## Puzzle # 39

```
S  C  I  I  L  O  P  Y  T  R  A  P  U
D  W  Y  E  R  I  A  F  F  A  E  G  A  T  S
         V                          T
   V        O                       O
   O  Y     N     B  F                 X
   L     R     A     A  E              E
   S     N     E        S     T  E     T
   O        O  S        H        U  R     E
   L           S  R     W        C  L     R
   I           E  N  U  G  A  L  A  L
   T                 I  N        N        I
   A           S  R  E  K  N  I  L  B     M
   I                       C
   R                          I
   E                             D
```

# HORSE RACING WORDSEARCH
## Puzzle # 40

```
      M  N  E  H  T  U  A  C
         O  O        L
         N  N        L        W
T     E  L  B  A  N  E     A        I
H              N  A        F        N
O                 O  H           T  D
R                 R  C              S
O        S  P  R  I  N  T  E  R     O  E
U  R  A  G  T  R  A  D  E           R     W
G        D  E  S  S  E  S  S  A  T  O  N
H                    S
B                       O
R                          U
E                          S
D                             A
```

## HORSE RACING WORDSEARCH
### Puzzle # 41

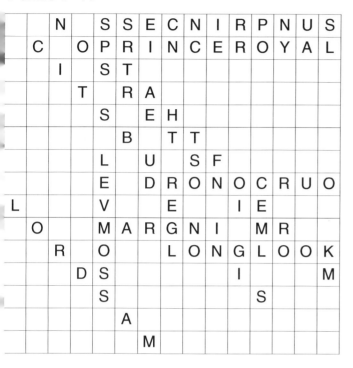

| | N | | | S | S | E | C | N | I | R | P | N | U | S |
|---|---|---|---|---|---|---|---|---|---|---|---|---|---|---|
| C | | O | P | R | I | N | C | E | R | O | Y | A | L | |
| | I | | S | T | | | | | | | | | | |
| | | T | | R | A | | | | | | | | | |
| | | | S | E | H | | | | | | | | | |
| | | | | B | | T | T | | | | | | | |
| | | | L | | U | | S | F | | | | | | |
| | | | E | | D | R | O | N | O | C | R | U | O | |
| L | | | V | | | E | | | I | E | | | | |
| | O | | M | A | R | G | N | I | | M | R | | | |
| | | R | | O | | | L | O | N | G | L | O | O | K |
| | | | D | S | | | | | I | | | M | | |
| | | | | S | | | | | S | | | | | |
| | | | | A | | | | | | | | | | |
| | | | | M | | | | | | | | | | |

## HORSE RACING WORDSEARCH
### Puzzle # 42

| | M | | | | | | | | | | | | |
|---|---|---|---|---|---|---|---|---|---|---|---|---|---|
| R | O | Y | A | L | A | U | C | L | A | I | R | | |
| | N | | | | R | | | | | | | | |
| | F | | | | U | | | | | | | | |
| | I | | F | | | S | | | | | | | |
| | L | | | O | G | A | B | | S | | | | |
| Y | | S | H | U | R | R | I | C | A | N | E | R | U | N |
| D | E | D | N | I | M | R | E | T | S | A | M | L | |
| | A | | | | | | | F | | | | | L |
| | | T | | E | | | | L | | | | | |
| | | | S | A | L | L | W | E | A | T | H | E | R |
| T | A | E | H | D | A | E | D | O | O | H | | | |
| | S | G | N | I | K | C | I | P | M | I | L | S | |
| | | | R | E | N | R | E | T | S | E | W | | |
| | | | | | | | B | | | | | | |

## HORSE RACING WORDSEARCH
### Puzzle # 43

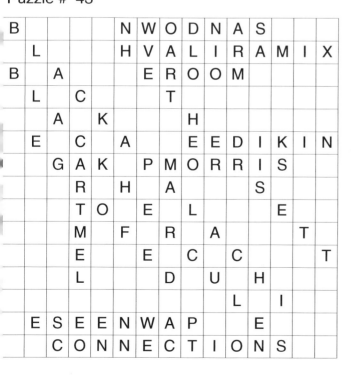

| B | | | | N | W | O | D | N | A | S | | |
|---|---|---|---|---|---|---|---|---|---|---|---|---|
| | L | | | H | V | A | L | I | R | A | M | I | X |
| B | | A | | | E | R | O | O | M | | |
| | L | | C | | | T | | | | | |
| | | A | | K | | | H | | | | |
| | E | | C | | A | | | E | E | D | I | K | I | N |
| | | G | A | K | | P | M | O | R | R | I | S |
| | | R | | H | | A | | | S | | |
| | | T | O | | E | | L | | | E | |
| | | M | | F | | R | | A | | | T |
| | | E | | | E | | C | | C | | T |
| | | L | | | D | | U | | H | | |
| | | | | | | L | | I | | |
| E | S | E | E | N | W | A | P | | | E | |
| | C | O | N | N | E | C | T | I | O | N | S |

## HORSE RACING WORDSEARCH
### Puzzle # 44

| | W | T | I | M | E | C | H | A | R | T | E | R | |
|---|---|---|---|---|---|---|---|---|---|---|---|---|---|
| | O | L | E | E | D | E | H | T | R | E | V | O | |
| | R | | | | X | | | | | | | | |
| | C | S | A | L | S | O | F | F | | | | | |
| | E | | | | K | T | | Y | T | R | A | M | S |
| | S | | O | K | I | T | S | Y | M | | | | |
| | T | | I | | C | N | | | | | | | |
| | E | | | N | D | | G | | | | | | |
| | R | T | E | N | R | A | J | | S | | | | |
| | | | | N | H | | | M | | | | | |
| | | | | C | | K | | | A | | | | |
| | S | | | E | | | A | | | R | | | |
| Q | U | A | L | I | T | Y | R | O | A | D | L | | K |
| | | W | | | | | | | L | U | K | A | S |
| | | | | G | O | O | D | W | O | O | D | | |

# HORSE RACING WORDSEARCH
## Puzzle # 45

```
R L Y N E W A P P R O A C H
  U A R               A   Q
    P Y L B           P   U
    K S O A L   R     T   E
    D I K R V U   Y   A   S
      L N R N A E   A   I   T
        E G A W C C   N   F
          I O L O T H   C   O
      N       F F   D H A H   R
        O   O X E K   G R   F
          S   Y A G I   I M A
            T   P N D N   S L M
                A   O O E G   E
Y L L A E U Q W     T O S S
                    M
```

# HORSE RACING WORDSEARCH
## Puzzle # 46

```
  B     H G R U B L E S S U M
    O M E E T S E F O K R A M
      U       N O L U O T S
        D         E         A
        L R O S     M         I
  R     A E E T U     A       N
    A S     V T   I     I     T
F E N T   I M A N   L R     M
      S S     R U     E     A
      U   N     G H     R   T
      S     E     S E   U   I
      P       M     O G   A I
      E       E     C D   N
      C           L     E
      T           F       H
```

# HORSE RACING WORDSEARCH
## Puzzle # 47

```
  S E L G A E F O S G N I W
  N A N O C N I A T P A C U
      O N R A C U L       R
        B   L           B
W O T S P E H C L         A
C         S T A Y I N G O N
  U       T         T     S
    R     M     E G A N E
    S R   A             D A
  N   E I T U E L B A P P A C
  N O O M E R I M D A       Y
      T   A
        R   J
          O
          N
```

# HORSE RACING WORDSEARCH
## Puzzle # 48

```
E                             S
  S                 D         P
D S R               E         I
  R U E     F     H P S       R
    A A V     O     A   S     I
      W L F     H R L R     O T
        E C O O E M   L   M S
          T A S T A     E   O
          S T M S D       Y N
  S             N A I
E N A V Y K C U L A E H
    E               S R P
W O L V E R H A M P T O N E
      D Y B R I K           M
```

# HORSE RACING WORDSEARCH
## Puzzle # 49

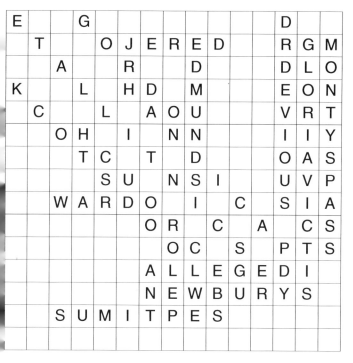

```
E     G           D
  T       O J E R E D   R G M
    A       R     D     D L O
K     L     H D     M     E O N
  C       L     A O U       V R T
    O H     I     N N       I I Y
      T C     T     D       O A S
      S U     N S I       U V P
  W A R D O     I     C   S I A
          O R   C   A     C S
          O C   S   P T S
          A L L E G E D I
          N E W B U R Y S
    S U M I T P E S
```

# HORSE RACING WORDSEARCH
## Puzzle # 50

```
    L                     L
      R                   A
        A       B         M
W E A V E R       R       M
      C       P B   O     T C
E       I       A O   O   A A
    G       R     D X   D   R R
    G R U M E T I I E   M R V
      U       N     R D   A E
        N       I     O I   R
          S     L     L N     E
                L     F
S E O R E H E R O M O N
S H A H T O U S H     B
  E R C A S R E T N I R P S
```

# HORSE RACING WORDSEARCH
## Puzzle # 51

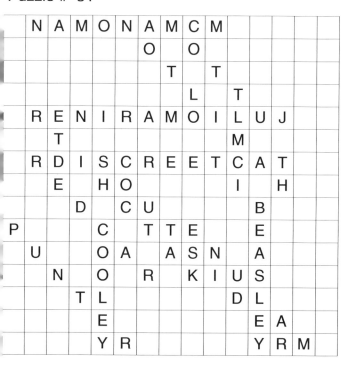

```
  N A M O N A M C M
          O     O
            T     T
              L     T
  R E N I R A M O I L U J
    T             M
  R D I S C R E E T C A T
    E     H O         I     H
      D     C U         B
P       C     T T E       E
  U     O A     A S N     A
    N     O     R   K I U S
      T   L           D L
        E             E A
        Y R           Y R M
```

# HORSE RACING WORDSEARCH
## Puzzle # 52

```
  E D R E D O N B L E U
      T H I S T L E C R A C K
  M U C H O M U C H O M A N
  L A R R A P A H C H G I H
  R O B E R T O         M
O D N E U N I M I D I L A H K
N E G A L R A C Y D A L T Z
  O             N       Z
    T           T I M A A H S
      Y           K
        A
          P
```

# HORSE RACING WORDSEARCH
## Puzzle # 53

```
                                    H
                                    E
P                                   N
I  H  U  R  R  I  C  A  N  E  F  L  Y  N
N     I                       G        Y
E        H  S  A  R  F  A  S  S  A  S  H
A              C                 R  U
U                 R  E  V  I  R  D  L  O  G
D  R  O  F  E  R  E  H              N  H
E  T  I  M  M  U  S  H  T  R  A  E  E  E
R              T  I  U  T  C  H  E  V  I  S
E     S  I  R  P  E  T  E  R  L  E  L  Y
                                    L
```

# HORSE RACING WORDSEARCH
## Puzzle # 54

```
         C     M  O  N  S  I  G  N  O  R
            H  G  U  H  C  M
O  K  L  A  D  A  F
   N  O  L  L  I  M  U  O  S           S
                     P                 A
      L  A  V  A  N  D  I  N           N
            Y  E  L  W  O  R  C  G     D
      M  A  H  G  N  I  T  T  O  N  O  E
            B  U  V  E  U  R  D  A  I  R
            S  W  I  N  B  U  R  N  S
      K  A  U  T  O  S  T  A  R     G
   Y  B  R  E  H  T  E  W
               N  I  B  Y  N  O  T
```

# HORSE RACING WORDSEARCH
## Puzzle # 55

```
S  I  M  P  L  Y  G  I  F  T  E  D
         R     D
            E     N
               P     O
                  P     M
M  A  I  L  T  N  I  A  S  O  E
S           D  U  B  A  C  I  L  L  A
C              L  U  N  D  I  E     Y
H                 O        D  K     O
O                 L  R        N  O     D
O                 A     C        A  O
L                 B        M        H  R
I     S  N  E  D  R  A  G  D  N  A  L  O  R
N           B  I  R  E  M  E  S
G     T  H  G  I  N  K  W  O  N  S
```

# HORSE RACING WORDSEARCH
## Puzzle # 56

```
   B     T  N  U  H  L  A  N  O  I  T  A  N
R  E  P  M  U  B
   N           U  P  G  R  A  D  E
   T           S              I
   L             I            R  Y  A  N
   E             C            E
   Y  C             N         C
      H     Q  E  W  A  F  A  T  U  M
      U  S  A  I  N  T  M  A  R  T  I  N
      R              O  F
   T  C  A  F  N  W  O  N  K  U
      H              T
      I              E
      L  V  A  G  U  E  L  Y  N  O  B  L  E
      L  G  N  I  N  R  O  M  Y  W  O  N  S
```

# HORSE RACING WORDSEARCH
## Puzzle # 57

```
      M     E
      A   V E
   C     H A M
O   A   C N P         K
N Z   R O S E       E R
E M Z   R   R T     N E
F I T O   B O Y   L   I D
O D   O L I   L     E R M
R W L   G E     L   H Y A
A A   A   R H     H   C R
R Y     N E A C   C O X   A
T L       O   C I     U   U
H A       D   S M     S D
U D         C   E       E
R Y           M   L     R
```

# HORSE RACING WORDSEARCH
## Puzzle # 58

```
  H     K R O M A N Y K I N G
    I D   C P                 S
      G O   U H               N
      H O   B I               O
      T W   R L               W
B A L L Y M O S S E D         B
          P N     T R         R
T O B B A N O T W E N T A     I
  E   R         H     U K D
    P   E L L I O T T   L E
      O N W I S E D A N C
      H   R
      D   U
      U   T
      T
```

# HORSE RACING WORDSEARCH
## Puzzle # 59

```
G U N N E R W E L B U R N
S S E N T I W T N E L I S
  D U R R E G N I B R A H

M A G N A G R E C I A
  F O R G E T T H E P A S T
              P
              S
    D N A B E S O N
N O S N I B O R     M
G A L I L E O G O L D
  E             N O V I C E
  J             W
    P I A L D A N I T I
              S
```

# HORSE RACING WORDSEARCH
## Puzzle # 60

```
S
C                         M
O     T                   C
T H     I                 A
T   S     U               N
  O     I     D           A
  D   B N Y Y N       L   L
    E   E I E O O     E   L
Y     I T A F K L C   N   Y
  R     T T O R C     G
    R     N O T T A I T
    E     U G H O T H
      G     A G A H S
              I T P
              P
```

# HORSE RACING WORDSEARCH
## Puzzle # 61

# HORSE RACING WORDSEARCH
## Puzzle # 62

# HORSE RACING WORDSEARCH
## Puzzle # 63

# HORSE RACING WORDSEARCH
## Puzzle # 64

# HORSE RACING WORDSEARCH
## Puzzle # 65

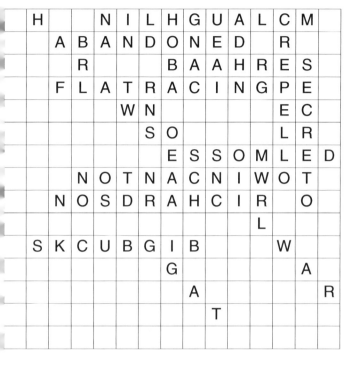

```
H       N I L H G U A L C M
  A B A N D O N E D     R
  R         B A A H R E S
  F L A T R A C I N G P E
      W N               E C
        S O           L R
          E S S O M L E D
  N O T N A C N I W O T
N O S D R A H C I R       O
                  L
S K C U B G I B       W
          G         A
            A           R
            T
```

# HORSE RACING WORDSEARCH
## Puzzle # 66

```
              N A M R E Y
  T H E M I N S T R E L       F
    B         S E A B I R D I I
    O P             F           R
N   B   A B           A         S
  E S E Z P A         L         T
    W D N E I R F E L B A       G
    O C   N R L A   O           O
    R   A   Y A L C N           L
    T     S   T M O O           D
    H       T   H U N U
            L   E A D
  P L E T C H E R D S     A
                    I
                      P
```

# HORSE RACING WORDSEARCH
## Puzzle # 67

```
  M A H G N I T T I H W
                    M
T     E             M
  L       V   N A S N A S
  Y O       E       O
  L C       R       R
D A R L E Y R E T S A M
  A I T L L E W H T U O S
  R   F I
  K       N
  O L R A C U
```

# HORSE RACING WORDSEARCH
## Puzzle # 68

```
  T S E U Q W O B N I A R
H
  D R O Y A L P A L A C E
A Z N I P
T E K R A M W E N
V E E R H T R O F A E T
I       A G N           F
N         V A A         F
C           O R G       R
E M R F R I S K A A     E
N             I N N     N
T S I E G D L A W D A A C
                  L E H
          E T A T     O L
  W O L F G N O R T S G
```

Made in the USA
Las Vegas, NV
21 November 2024

12312987R00048